MagicaVoxelでつくる **3Dドットモデリング**

ボクセルアート

上達コレクション

VOXELART ADVANCED COLLECTIONS

日貿出版社編

ダウンロードデータについて

URL	http://www.nichibou.co.jp/works/3d/voxelsample.zip

● 本書で紹介している一部のデータは上記URLからダウンロード可能です。

● お使いのインターネット回線によってはダウンロードに時間がかかる場合があります。

● データの複製販売、転載など営利目的での使用、また、非営利での配布は、固く禁じます。なお、提供ファイルについて、一般的な環境においては問題がないことを確認しておりますが、万一障害が発生し、その結果いかなる損害が生じた場合でも、小社および執筆者はなんら責任を負いません。また、生じた損害に対する一切の保証をいたしません。必ずご自身の判断と責任においてご利用ください。以上のことをご了承の上ご利用ください。

対応バージョンについて

● 本書記載の情報は2020年3月18日時点のものとなります。

● 本書の操作解説部分は「MagicaVoxel Ver.0.99.4.2」を基に制作しています。今後のバージョンアップに伴い、誌面で解説しているインターフェイスや機能に異なる箇所が出る場合があります。あらかじめご了承ください。

● 本書はWindows 10 / macOS 10.14.6のOSで動作確認を行なっています。本書の発行にあたっては正確な記述に努めましたが、小社および執筆者は本書の内容に対して何らかの保証をするものではなく、内容を適用した結果生じたこと、また適用できなかった結果についての、一切の責任を負いません。

はじめに

　「ボクセルアート」とは、現在注目を集めている3DCGのアートフォームです。「ボクセル」とは「体積（Volume）」と「ピクセル（Pixel）」を組み合わせた言葉で、立方体を組み合わせて表現するグラフィックを指します。3次元でつくるドット絵表現といえばイメージがしやすいでしょうか。ゲームなどの分野でボクセルの表現は使われています。その代表的なものは「Minecraft」が挙げられるでしょう。こうしたボクセルでの表現が人気となった理由としては、3Dでありながら素朴で温かみのあるグラフィックがレトロゲームのような懐かしさや親しみを感じさせられること、そして誰もが子供の頃に遊んだブロック遊びのシンプルなものづくりの楽しさに触れられる点だと思います。

　本書はボクセルアートの作り方を「MagicaVoxel」というソフトを通して解説するものです。「MagicaVoxel」はWindowsとmacに対応したソフトでPCの環境を選ばずにどちらのOSのユーザーでも操作をすることができます。そして何よりも魅力なのは「MagicaVoxel」はフリーソフトであるという点です。無料でダウンロードすることができるので、これからボクセルアートを作ってみたい人にはおすすめのソフトです。機能も豊富に備わっており、モデリングから3DCGには欠かせないレンダリング表現までできます。目次以降で紹介している作品集からボクセルアートとはどんなものなのか、「MagicaVoxel」を使ってどんな表現ができるのかを紹介しています。そして、紙面では6人のボクセルアートのメイキングを用意していますので、読みながら作品を作っていくことでテクニックが学べるようになっています。

　できあがった作品はTwitterやInstagramなどのSNSに投稿すると楽しいでしょう。また、Unityなどの外部のツールが必要ですがゲームのグラフィックとしても活用したり、3Dプリンタでモデルを現実の造形物として出力させるなどボクセルアートの楽しみ方は無限に広がります。本書がボクセルアートの魅力やおもしろさを知るきっかけとなればうれしいです。

　最後になりましたが本書の制作にあたり、ご協力いただきました皆様にお礼を申し上げます。

CONTENTS

ボクセルアートを作成できる
MagicaVoxelを入手し起動する

MagicaVoxelの
インタフェースを確認してみよう

1 ボクセルアート｜初級編

PART 1 解説｜ウラベロシナンテ

MagicaVoxelの基本的な使い方を部屋のモデリングで理解しよう

PART 2 解説｜Peccolona

MagicaVoxelの基本的な使い方をキャラクターモデリングで把握する

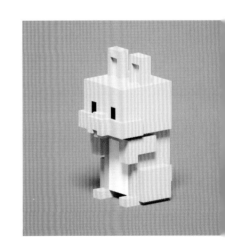

ボクセルアート｜中級編

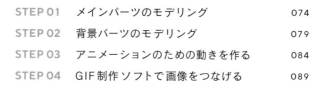

ボクセルアート｜上級編

PART 1 解説｜ハードン

ランダムコマンドを使った
細かい配色と煙の質感を表現する

PART 2 解説｜uevoxel

汚れや劣化のディテールアップ表現で
レトロ風な雰囲気を演出する

作品集 | ウラベロシナンテ

URL　https://urabe-rocinante.wixsite.com/no-0
Twitter　@urabe_rocinante
Instagram　@rocinante0o

初級編
PART 1
→ P022

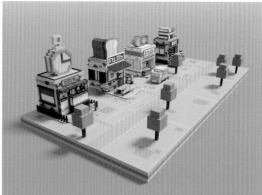

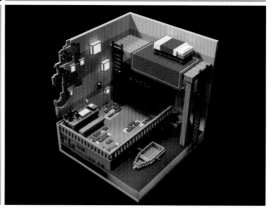
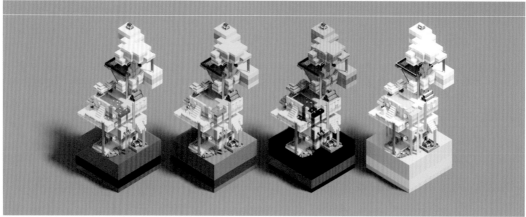

PROFILE

ボクセルアーティストとして活動中。作品を制作する傍らボクセルアートを広める活動として作品集の制作・販売、インターネット上での無料公開などを行なっている。またボクセルアートを利用したアプリやソフトなどの開発協力、ボクセルアートのコンテストの審査員なども務める。

作品集 | Peccolona

Twitter @Peccolona_tnjr

初級編

PART 2

→ P054

PROFILE

初めまして。Peccolona（ぺっころーな）と申します。ボクセルで動物のモデルを主に制作しています。ボクセルアートは日本ではまだまだ馴染みがないかもしれませんが、この本をきっかけにもっともっとMagicaVoxelというソフトの素晴らしさ、ひいてはボクセルの魅力が広まれば幸いです。

作品集 ｜ 権田支配人

URL　　https://gondaman777.tumblr.com/
Twitter　@GONDAman555

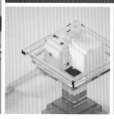

PROFILE

北海道在住。2015年活動開始。ボクセルで動く作品を作っています。ボクセルでMV（ミュージックビデオ）や広告の動画制作をしました。MagicaVoxelは思いついた絵をすぐに形にできるので好きです。

作品集 | .goka

URL　　　　https://pixel-voxel-diary.tumblr.com/
Twitter　　@un_tako
Instagram　@dotgoka

PROFILE

2018年4月頃より、「ドット・ボクセル絵日記」の作品投稿を開始。ボクセルアートのシンプルな奥深さに魅了されつつ、静物やGIFを制作して楽しんでいます。最近は眺めるだけでなく、迷路やまちがいさがしなど何か＋αの要素でも楽しめる作品を模索中です。

作品集 ｜ ハードン

Twitter @HardBone01
Instagram @hardbone01

PROFILE

Twitterを中心に活動しているボクセルアーティストです。MagicaVoxelを使用して、建物や生き物など様々な物を制作しています。SUZURIというサイトを利用してオリジナルグッズの作成・販売なども行なっています。

作品集 | uevoxel

Twitter @UeVoxel
Instagram @uevoxel

上級編
PART 2
→ P148

PROFILE

海外ボクセルアーティストが制作したリアルなボクセル作品を見て、表現の幅広さにおもしろみを感じ2018年5月からボクセルアートを作り始めました。自分が育ってきた中で触れた、ちょっと懐かしい風景をボクセル作品で表現しています。

13

ボクセルアートを作成できる
MagicaVoxelを入手し起動する

立方体を組み合わせて作る3DCGの表現を「ボクセルアート」と呼びます。ボクセルアートが作れるソフト、「MagicaVoxel」を本書では扱います。

▶ MagicaVoxelってどんなソフト?

ボクセルアートをPCで作成することができるソフトが「MagicaVoxel」です。ボクセルはシンプルなモデルから、モデルを組み合わせて複雑な形状も作ることができます。3DCG特有の光源の設定をするレンダリングもできます。

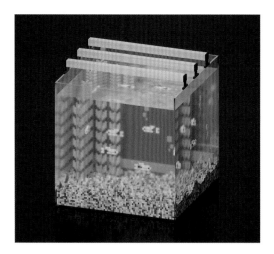

Unityなどにも使える

できあがったボクセルのデータはUnityなどの外部のソフトへインポート(取り込む)することも可能です。作成したデータをゲームにも活用することができます。

▶ MagicaVoxelをダウンロードしよう

MagicaVoxelはソフト制作者のWebサイトから無料で誰でもダウンロードして使うことができます。Windowsとmacのバージョンが用意されていますのでお使いのOSのものをダウンロードしましょう。

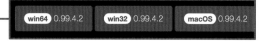

Webサイト上部のメニューから最新版のソフトがダウンロードできます。Windows(64bitと32bit)とmacに対応しています。

「MagicaVoxel」

作者:ephtracy
URL:https://ephtracy.github.io/

▶ 起動の方法（Windowsの場合）

ソフトはZIP形式という圧縮された形でダウンロードされます。まずはこれを展開しましょう。フォルダ内の「MagicaVoxel.exe」を実行することでソフトが起動できます。

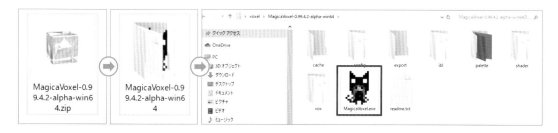

▶ 起動の方法（macの場合）

macの場合も起動するまでの手順は基本的には同じです。展開したフォルダから「MagicaVoxel.app」を実行しましょう。画面が真っ暗で表示される場合は下記を参照しましょう。

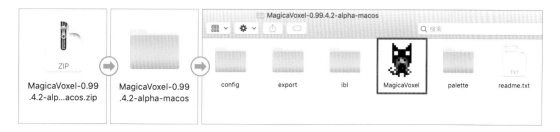

初回起動時には右のダイアログが出る場合がありますので、「開く」をクリックして進めます。

✎ POINT

macで画面が何も表示されない場合

画面に何も表示されない場合はフォルダ内の実行ファイルを一度ドラッグ&ドロップでデスクトップなどの別の場所へ移動させます。もう一度「MagicaVoxel」のフォルダへ戻して起動させるとインタフェースが表示されるはずです。

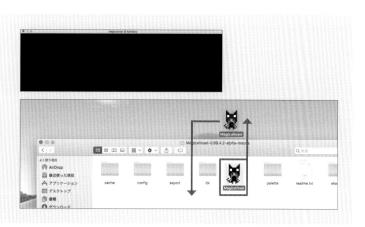

MagicaVoxelのインタフェースを
確認してみよう

MagicaVoxelはモデリングのエディタがふたつあり、切り替えながら操作します。できあがったモデルはレンダリング画面で仕上げます。

▶ モデリング画面（モデルモード）のインタフェース

まずはMagicaVoxelを起動します。起動するとこのような画面が開きます。早速モデリングを始めたいところですが、まずはMagicaVoxelの基本機能を紹介していきます。最初にこの画面の各パネルについて説明していきます。

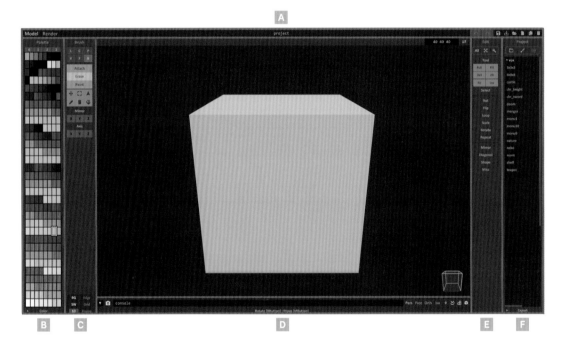

A メニュー

画面上部、左側でモデルモードとレンダリングモードを切り替えます。画面上部、右側にUndo、Redoボタン、ファイルの保存関係のボタンが並んでいます。各種機能は左から保存、名前を付けて保存、開く、新規作成、コピーして新規作成、ファイルの削除となっています。

B パレットパネル

一番左にあるのがカラーパレットです。上部の「0」から「3」までのボタンを押すことでデフォルトで入っているパレットを切り替えることができます。詳しい操作はまた後ほど紹介しますが、ボクセルの色はここから指定します。

C ブラシパネル

次にブラシパネルです。Magica VoxelではL（Line）、C（Center）、P（Pattern）、V（Voxel）、F（Face）、B（Box）の6つのブラシのモードを切り替えながらモデリングをしていきます。それぞれのモードでAttach（追加）、Erase（削除）、Paint（色塗り）の各種操作をすることができます。

D コンソール／視点制御

画面下部にはコマンドを打ち込むコンソール欄、視点制御関係のボタン、ヒントが並んでいます。各パレットのツールにマウスオーバーすると、ヒント欄に説明とショートカットが表示されます。

E エディットパネル

モデリング画面をはさんで右側、エディットパネルです。ここではモデリング中のボクセルモデルに対して様々な編集をすることができます。移動、反転、変形など便利なツールがそろっています。これも後ほど詳しく紹介します。

F プロジェクトパネル

一番右端、このパネルでは保存されている.vox（MagicaVoxelの独自形式）ファイルが一覧表示されています。デフォルトでいくつかサンプルファイルが入っており、クリックすることでそのファイルを開くことができます。保存した自作のファイルもこちらに表示されます。

モデリング画面（ワールドエディタ）のインタフェース

モデリング画面には2種類のモードがあります。先ほど紹介したのがボクセルを削ったり、色を塗ったり単体のオブジェクトを作るエディタです。複数のオブジェクトを管理することができるのがここで紹介するワールドエディタです。

Edit／Worldモード切り替え 3D画面上部の2本の矢印ボタンで「Edit」と「World」の
エディタを切り替えることができます。

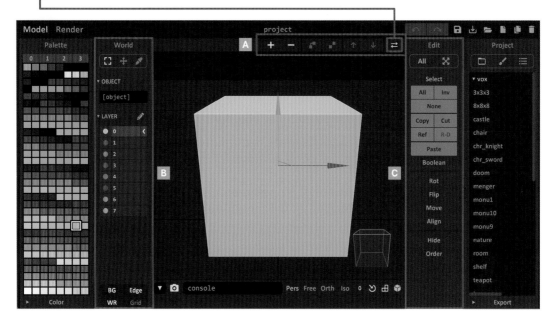

A メニューパネル

各種機能は左から新規オブジェクト作成・削除、グループ化・非グループ化、グループ解除・追加、エディタ切り替えです。

B ワールドパネル

オブジェクトを移動させたり、複数のオブジェクトを管理することができる機能が揃っています。ペイントソフトのようにそれぞれのオブジェクトをレイヤーで整理することができ、作業中に不要なレイヤーは削除したり、非表示にすることができます。

C エディットパネル

エディットパネルは「Edit」と「World」両方にありますが、ワールドエディタでのエディットパネルはできあがったモデルに対して回転をさせたり、モデルをコピー&ペーストで複製するなどの操作ができます。

▶ レンダリング画面のインタフェース

ここまで紹介したのはオブジェクトをモデリングしたり、できあがった複数のオブジェクトを管理したりするモードです。MagicaVoxelは光源や特殊な効果を加えることができます。ここで紹介するレンダリング画面で行なえます。

モデリング／レンダリング画面切り替え メニュー左のボタンで「Model」と「Render」の画面を切り替えることができます。

A メニューパネル

3D画面上部にはレンダリングして出力するサイズや解像度の設定ができます。再生ボタンでレンダリングの一時停止もできます。

B ライトパネル

太陽、空などの大気、霧などを外部から発生させる光の環境を表現することができるパネルです。同じモデルでも影や光の部分に工夫をすることで作品の雰囲気が大きく変わります。

C マターパネル

モデルに塗られている色の部分を設定して効果を加えることができるパネルです。照明のように光らせたり、ガラスや雲のような質感に変更して作品を仕上げてみましょう。

CHAPTER

ボクセルアート
初 級 編

まずは「MagicaVoxel」にはどんな機能があるのかを確認しな
がら操作をしてみましょう。このパートではチュートリアルとし
て簡単なモデリングをしながら、インターフェイスの説明をし
ています。基本的にはボクセルを積み重ねたり、削ったりして
モデリングをしていきます。シンプルな形状のものをはじめに
作ってみることをオススメします。できあがったモデルに色を
つけてみたり、レンダリングをしてみると3DCGならではの質
感が出るので作品としての完成度が高まります。

MagicaVoxelの基本的な使い方を部屋のモデリングで理解しよう

ボクセルアートを作成するためMagicaVoxelを使いこなせるようになりましょう。まずは簡単なモデリングでどんな機能があるか見ていきます。

解説	ウラベロシナンテ
URL	https://urabe-rocinante. wixsite.com/no-0
Twitter	@urabe_rocinante
Instagram	@rocinante0o

今回の作品について

今回の作品は一番最初に作りやすいものです。このモデルを作れるようになれば少しの応用でさらに魅力的な作品が作れます。最初は複雑な形ではなく四角を意識することで、ボクセルとしての形が作りやすくなります。

ボクセルアートの魅力とは

ボクセルアートの魅力は丸いものも四角にデフォルメして表現することで、現実で見ているものとは違った感覚になる点です。見ている方の想像力でいろんな見方ができるのも魅力のひとつです。かわいさも魅力といえるでしょう。四角いかたちを並べるだけでおもちゃのような見た目になります。

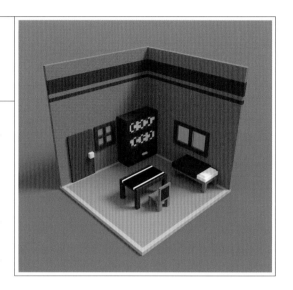

STEP 01　立方体を作ってみよう

MagicaVoxelにはいろいろなブラシや機能があります。まずはそれらの機能を使って基本となる立方体を作ってみましょう。機能を理解するとモデリングをするときにスムーズに進めることができます。

1　初めに表示されているボクセルをすべて消す

初めにエディタの中央に表示されている水色のボクセルをすべて消してみましょう。このボクセルはひとつに見えますが複数のボクセルがくっついている状態です。【Brush】パネルの一番下にある【Grid】をクリックしてみましょう❶。線が表示され複数のボクセルがあることがわかります。複数のボクセルをまとめて消すにはふたつの方法があります。

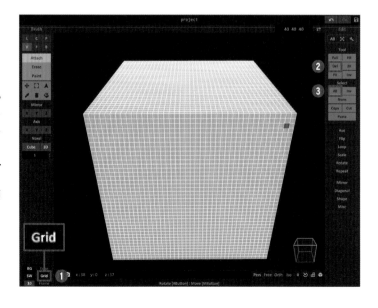

まずひとつ目は【Edit】パネルにある【Del】を押して消す方法 ② です。Delは「Delete」の略で削除を意味しています。【Del】をクリックするとすべて削除することができます。ふたつ目は【Select】の【All】 ③ をクリックして全選択し、【Del】で消す方法です。【Select】の項目は最初は折りたたまれているので、【Select】の文字をクリックして表示させてください。選択の解除は【None】をクリックしてできます。どちらの方法でもボクセルをまとめて消すことができます。

SHORTCUT

ボクセルの選択と解除はショートカットキーでも同じことができます。

ボクセルの全選択

Windows：
「Control」＋「A」

Mac：
「command」＋「A」

選択の解除

Windows：
「Control」＋「D」

Mac：
「command」＋「D」

2 ボクセルを追加する

ボクセルをすべて消したら新しくボクセルを追加してみましょう。【Brush】パネルの【V】 ① をクリックします。【V】は「Voxel Mode」の略で 1 ボクセルずつ扱うモードです。次にその下の【Attach】 ② をクリックします。これはボクセルを追加するブラシになります。キーボードでは「V」で「Voxel Mode」に、「T」で「Attach」になります。今回は「x軸：18　y軸：18　z軸：−1」にボクセルを追加してみましょう ③。画面右下にある小さな立方体の赤、緑、青の線はそれぞれ「赤がx軸」「緑がy軸」「青がz軸」を表しています ④。画面下にある【Console】 ⑤ にはカーソルのx軸、y軸、z軸の値が表示されます。【Console】の下にはブラシやモードの名前、対応するショートカットキーが表示されるので操作の参考にしてください。

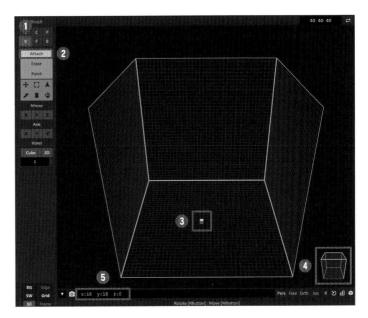

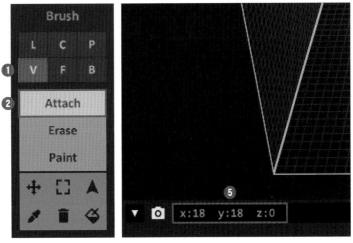

23

次にボクセルを削除していきます。
STEP01-1で行なったのは表示され
ているボクセルを「すべて」消すと
いうものです。ここでは「消したい
ボクセルだけ」を削除する操作を行
ないます。1ボクセルだけ消してみ
ましょう。削除したボクセルがわか
りやすいように表示されていたボク
セルの集まりをもう一度表示させま
す。STEP01-1では白い線で囲まれ
た空間いっぱいにボクセルが表示さ
れていました。空間いっぱいにボク
セルを表示させるときは【Edit】パネ
ルの【All】を選択し、【Tool】の中の
【Full】❶をクリックします。そうす
ると空間いっぱいにボクセルが表示
されます。キーボードでは「U」を押
すことで【Full】と同じ操作ができま
す。水色のボクセルの集まりが表示
されたら次はSTEP01-2で選択した
【Brush】パネルの【V】❷の下にあ
る【Attach】から、【Erase】❸を選択
しましょう。キーボードでは「R」を
押すと【Erase】になります。

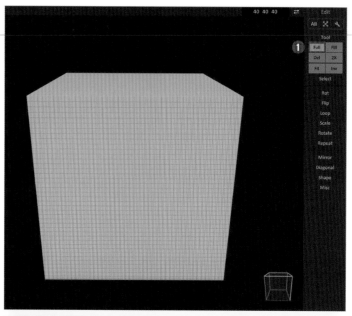

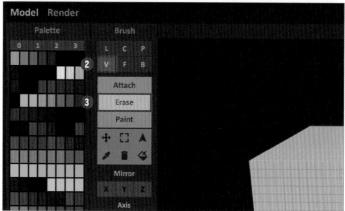

「x軸：19」「y軸：0」「z軸：39」の
場所をクリックしてみてください。
1ボクセル削除することができまし
た。カーソルをドラッグすると他の
場所も1ボクセルずつ削除すること
ができます。

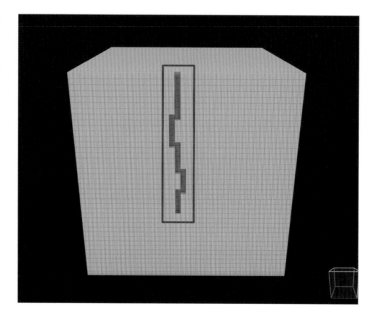

4 平面を作る

ではもう一度「すべて」のボクセル
を削除してみましょう。やり方は
STEP01-1と同じです。そして次に
平面を作ります。今までは1ボクセル
ずつ追加していましたが、
MagicaVoxelでは複数のボクセルを
一度の操作で追加することができま
す。【Brush】パネルの【B】 ❶ をクリッ
クします。【B】は「Box Mode」の
略でボクセルを塊として扱うことが
できます。次に【Attach】 ❷ をクリッ
クします。キーボードでは「B」で
Box Modeになります。

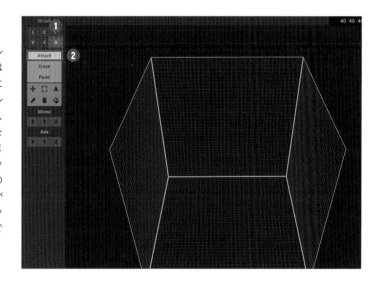

ボクセルが追加できる場所にカーソ
ルをあてて「x軸:6」「y軸:33」「z軸:
−1」の位置から「x軸.29」「y軸.29」
「z軸.1」の大きさになるようにド
ラッグしてみましょう ❸ 。すると
ドラッグした範囲に複数のボクセル
を置くことができます。
画像を見るとわかるように、【Console】
内の表示は座標の位置を示す場合は
「xyz軸:数字」、ドラッグした範囲
を示す場合は「xyz軸.数字」という
表示となります。

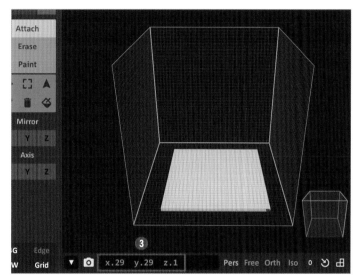

作ったボクセルの集まりの上にさら
にボクセルを置いてみましょう。「x
軸:8」「y軸:31」「z軸:0」から「x
軸:32」「y軸:7」「z軸:1」まで ❹
ドラッグしてください。ボクセルの
集まりの上にさらにボクセルをまと
めて置くことができました ❺ 。この
ようにボクセルをまとめて追加する
ことができます。

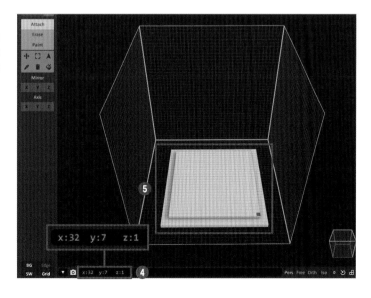

STEP01-4で作ったボクセルに厚さを追加してみましょう。【Brush】パネルにある【F】❶をクリックします。【F】は「Face Mode」の略で、面に対してボクセルの追加や削除などができます。【F】をクリックしたら次は【Attach】❷をクリックしてください。キーボードでは「F」でFace Modeになります。「x軸：8」「y軸：7」「z軸：1」にあるボクセルの上の面をクリックしてみましょう❸。z軸に1ボクセル増えました。複数回クリックするとその回数分増えていきます。ここでは5回クリックしました。

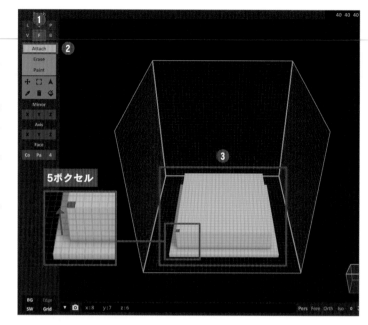

クリック以外にもドラッグすることで厚さを追加することができます。ドラッグで厚さを追加する場合は【Console】に「layer」と表示されます。「1クリック」で追加される厚さが「layer：1」となります。「5クリック」分の厚さを追加したい場合は「layer：5」になるようにドラッグします。

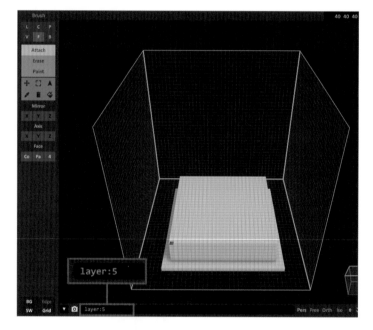

間違えてボクセルの側面をクリックすると、その軸に対して厚さが追加されます。

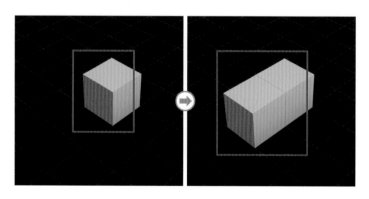

6 色を変える

MagicaVoxelを起動して最初に設定
されているのは水色です。ここでは
他の色でボクセルを塗ったり、追加
したり、色を変えてみましょう。
STEP01-5で作ったものに色を塗っ
てみましょう。色を塗るのに使うの
は【B】❶ツールの【Paint】❷です。
キーボードでは「F」を押すと【Paint】
になります。今まで使った【V】【F】
【B】のすべてで【Paint】は使うこと
ができます。MagicaVoxelの左側に
四角で区切られた色が並べて表示さ
れています。これは「カラーパレッ
ト」というもので、色をわかりやす
くまとめることができます。Magica
Voxelには「0〜3」までのパレットが
ありそれぞれまとまっている色が異
なります。また自分でカラーパレッ
トを作ってエクスポートしたり、外
部からインポートしたりすることも
できます。ここでは基本のカラーパ
レットである「0」❸を使いましょう。

「0」パレットの色の上にカーソルを
置くと【Console】にそれぞれの色に
対応した数字が表示されます。選択
している色はカラーパレット上で白
い枠で囲まれます。数字は「index：
1」から「index：255」とあり下から
上へと数字が大きくなっていきま
す。では「index:192」の緑色を使っ
てみましょう❹。ボクセルの適当な
場所をクリックしてください。緑色
になりました❺。

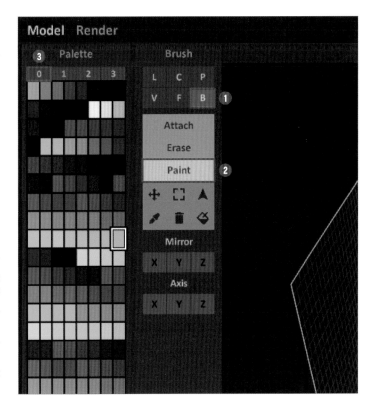

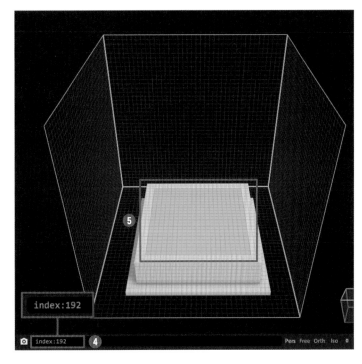

カラーパレットで選択した色は【V】
【F】【B】で【Attach】からボクセル
を追加することもできます。カラー
パレット以外の色を使いたい場合
は、カラーパレットの下にある
【Color】❻をクリックしてそこから
色を調整してください。デフォルト
では「HSV」になっていますが、「HSV」
の文字❼をクリックすれば「RGB」
へと変更できます。もしボクセルに
使った色を再度使いたい場合は
【Brush】パネルにあるスポイトマー
クの【PickVoxel Color】❽をクリッ
クし、使いたい色の上にカーソルを
合わせてクリックします。キーボー
ドでは使いたい色の上にカーソルを
合わせて「Alt」キー＋右クリック
（Mac：「option」キー＋右クリック）
になります。

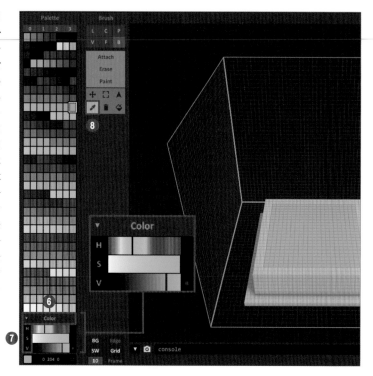

7 10×10×10の立方体を作ってみよう

最後に「10×10×10ボクセル」の立
方体を作ってみましょう。今までに
作ったものはすべて削除してくださ
い。手順はSTEP01-3で行なったも
のと同じです。立方体を作るために
まず最初に行なうのは「10×10の平
面」を【B】のBox Modeで作ること
です。【V】のVoxel Modeで1ボクセ
ルずつ置いていく方法もあります
が、時間がかかるためおすすめはし
ません。「10×10」ということは「縦
に10ボクセル」「横に10ボクセル」
ということです。今回はわかりやす
いよう座標を取ります。【B】Box
Mode❶の【Attach】❷にして「x軸：
0」「y軸：0」「z軸：-1」をクリックし、
「x軸：10」「y軸：10」「z軸：1」までド
ラッグします❸。「縦に10ボクセル」
「横：10ボクセル」の平面ができまし
た。ここで座標の表示を見てみると
10ボクセル目が置かれている座標は
「x軸：9」「y軸：9」「z軸：0」になって
います❹。これはひとつ目のボクセ
ルが表示上「x軸：0」「y軸：0」「z軸：
-1」に置かれるので「1〜10」ではな
く「0〜9」になっているためです。

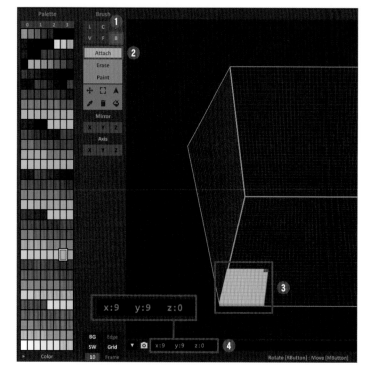

次に厚さを追加しましょう。「10×10×10」なので「高さ10ボクセル」ということになります。すでに高さは「1ボクセル」あるので、残りは「9ボクセル」です。【F】Face Mode **5** の【Attach】**6** にして「x軸：0」「y軸：0」を「9回」クリックしましょう。または「layer：9」と表示されるまでドラッグしてください **7**。そうすると「10×10×10ボクセル」の立方体が完成しました **8**。MagicaVoxelでボクセルモデリングに必要な基本的な操作は以上になります。

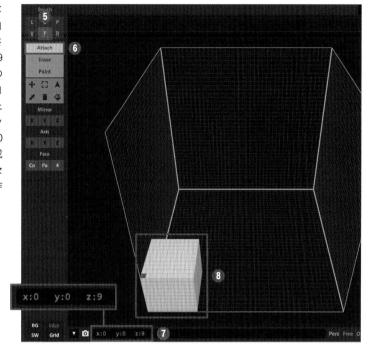

STEP 02　立方体を増やす・移動させる

ボクセルモデルを作っていると同じ形のものが複数個必要になることがあります。ここでは先ほど作った立方体を増やしてみましょう。ボクセルをコピーするためには、まずどこからどこまでをコピーするか指定する必要があります。

1　ボクセルを選択する

ボクセルの選択は【Brush】パネルにある点線の四角形のようなマークの【Box Select】**1** を使います。クリックすると下に【Select】**2** と出ます。【Select】の【Box】はボクセルを「1ボクセル区切り」で選択するもので表面だけでなく、中のボクセルも選択することができます。特定のボクセルを選択するときに便利ですが、すべてを選択するには少し手間がかかります。【Rect】は1ボクセルずつではなく「範囲選択」になります。ドラッグすることで囲まれた部分のすべてのボクセルを選択することができます。しかし、特定の部分だけを選択したい場合には不向きです。

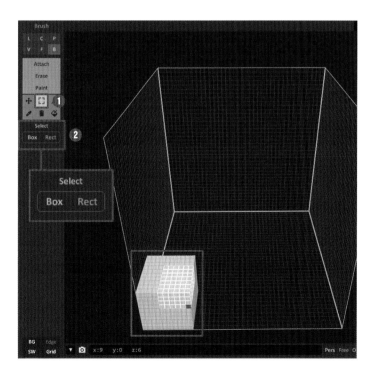

ほかにもボクセルを選択する方法が
あり、【Brush】パネルにある三角の
矢印のようなマークの【Region
Select】❸を使います。Regionは指
定した条件をひとつのまとまりとし
て選択することができます。下にあ
る【Region】❹に【V】【F】【A】とあ
ります。【V】は「体積」、【F】は「面
が同じボクセルを選択」、【A】は「同
じ色のボクセルをすべて選択」とい
う意味です。さらにその下の【Col】❺
は「色」、【Geo】は「接続されている」
という意味の略です。【Col】を選択
した場合は選択したボクセルと同じ
色のボクセルにしか選択が適用され
ません。【Geo】は色は関係なくボク
セルがつながっていれば選択が適用
されます。

先ほど作った立方体の上に色の異な
るボクセルを重ねて、【F】ボタンを
押して試してみましょう。【F】は面
という意味ですが【Col】の場合、色
が違っていると選択されません。
【Geo】であれば色は関係ないので選
択されます。

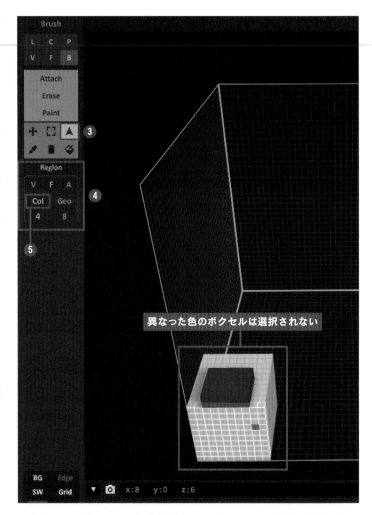

異なった色のボクセルは選択されない

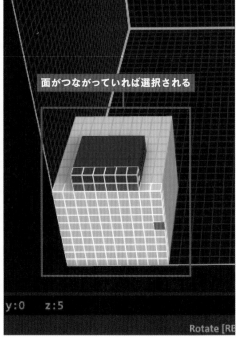

面がつながっていれば選択される

2 コピー&ペースト

選択ができたので、次はコピーをしてみましょう。ボクセルを選択した状態で【Edit】パネルの【Select】の【Copy】❶をクリックするとコピーすることができます。ペーストは同じく【Select】の【Paste】をクリックします。【Cut】の場合は元々あったものを消してからペーストすることになるので注意してください。コピーしたものをペーストしても増えたようには見えませんが、実は同じ場所にコピーされているために重なって見えてしまいます❷。コピーしたものを移動させると、ずれて見えるようになります。次に移動方法を説明します。

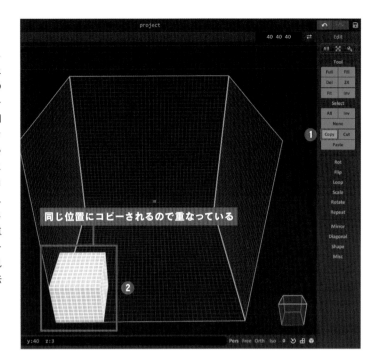

同じ位置にコピーされるので重なっている

SHORTCUT

ボクセルのコピー	ボクセルのペースト	ボクセルのカット
Windows： 「Control」+「C」キー	**Windows**： 「Control」+「V」キー	**Windows**： 「Control」+「X」キー
mac： 「command」+「C」キー	**mac**： 「command」+「V」キー	**mac**： 「command」+「X」キー

3 移動

ボクセルを移動させる方法はふたつあります。【Brush】パネルにある矢印が十字になった【Move】❶を使う方法と【Edit】パネルの【Loop】❷にある座標を示すボタンを使う方法です。前者は移動させたい軸に対してボクセルの面が並行である必要があります。例えば移動させたい軸がx軸とy軸だった場合、ボクセルの上の面や下の面にカーソルを置き、ドラッグすることで移動させることができます。z軸の場合はボクセルの側面になります。キーボードとマウスを使ってこの操作を行なうことができます。その場合には「Control」+右クリック（Mac：「Command」+右クリック）を使います。

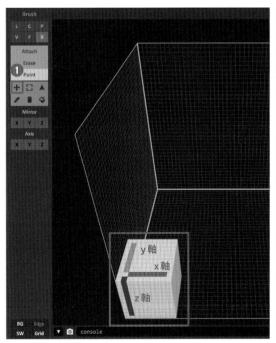

つぎに後者は移動させたい軸のプラスかマイナスを選んで移動させるものです。【＋X】は「x軸に＋1」という意味です。座標は1番左の「0」から数が大きくなり、端は「39」となっています。もし右に1ボクセル分移動させたい場合は【＋X】をクリックすると「x軸方向に＋1」移動させることができます。

ここでは前者の方法を使ってみましょう。コピー＆ペーストした後、ボクセルが選択状態のままになります。そこで選択状態のまま【Move】をクリックして移動させたいボクセルの上にカーソルを置き、右に移動させてみましょう。コピーされたボクセルだけが移動して元々あったボクセルはそのままになります。これでコピー＆ペーストが完了しました。

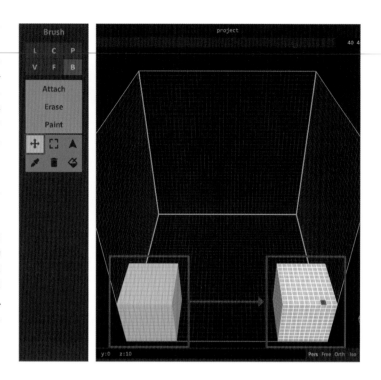

STEP 03　Modelエディタと Worldエディタ

MagicaVoxelにはふたつのエディタがあります。ModelとWorldです。このふたつのエディタを理解することはモデルを作る上で役に立ちます。

1　Modelエディタ

Modelエディタはモデリングをするためのエディタで、ボクセルの追加や削除、色の変更などの編集作業を行なうことができます。ここまで紹介してきた機能はすべてこのModelエディタで使える機能です。またボクセルの作成が可能な範囲の拡大や縮小もこのエディタ画面から行ないます。ボクセルを作れるのは真ん中にある白い枠の範囲です。この枠は「1×1×1ボクセル」から「126×126×126ボクセル」まで調整ができます。右上の数値を変更してみましょう。例えば「60×40×10ボクセル」に❶してみましょう。順番は「x軸、y軸、z軸」に対応しています❷。入力する際には数字と数字の間に半角スペースを入れてください。

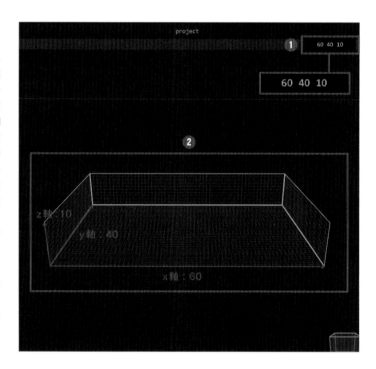

2 Worldエディタ

Worldエディタは「オブジェクト」と呼ばれるボクセルの集まりを管理・編集するエディタです。ふたつのエディタの切り替えは右上にある2本の矢印のマークをクリックします。エディタ上に表示されている少し太い白い線がひとつのオブジェクトになります。今まで作ってきたボクセルはひとつの「オブジェクト」でした。簡単なものであればひとつのオブジェクトでいいのですが、少し複雑になると複数のオブジェクトを使い分ける必要が出てきます。画面右上の矢印ボタンで右上にある「＋」と「－」ボタンでオブジェクトを増やしたり、減らしたりすることができます。コピーやペーストなどは【Edit】パネルの【Select】にあるのでそこから行なうか、キーボードを使って行なってください。使うキーはModelエディタのときと同じです。

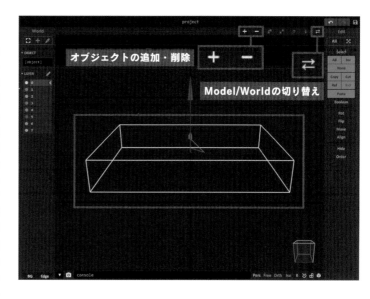

例えば人型のキャラクターを作っていたとします。完成に近づくにつれて頭を少し下げたい、足を後ろに動かしたい、などバランスを調整したくなることがあります。そういった場合にパーツをオブジェクトで分けておくと個別に調整することができます。例として図のキャラクターを見てみましょう。顔や胴体、手足などを分けて作っています。分けて作ったものは後から【Edit】パネルから【Boolean】の【Union】❶で結合することができますが、結合できる範囲は「126×126×126ボクセル」までなので注意してください。枠が黄色くなっているのは次に説明する【LAYER】に関係しています。

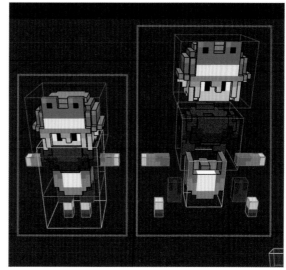

レイヤーはひとつのまとまりのような
ようなもので、黄色くなっているオブジェ
クトはすべて黄色の【0】レイヤーに
属しています。別のレイヤーに移動
させたい場合は、移動させたいオブ
ジェクトを選択して左の【LAYER】
に番号が書かれている右の空間をク
リックします。クリックをすると矢
印が出現するので、そのオブジェク
トは指定したレイヤーに移動したこ
とになります。例えば、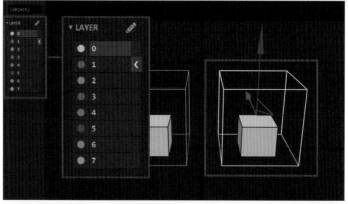とBのオ
ブジェクトがあるとします。Bのオ
ブジェクトを別レイヤーに変更した
い場合、Bのオブジェクトを選択し
たまま赤い【1】レイヤーの右の空間
をクリックします。【Edit】パネルに
ある【Select】の【None】で選択を解
除してみましょう。線が赤くなって
いることがわかります。これでBの
オブジェクトは赤い【1】レイヤーに
属したことになります。

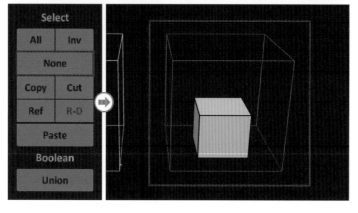

レイヤーは表示、非表示ができます。
非表示にしたい色の丸をクリックす
るとその色のレイヤーに属している
オブジェクトは非表示になります。
ここで新しいオブジェクトを作ると
選択中のレイヤーの中に作られるの
で、表示されているレイヤーを選択
してオブジェクトを追加するといい
でしょう。レイヤー選択するにはそ
の色のレイヤーの番号か書かれてい
る空白部分をクリックします。色が
薄い灰色に変わればOKです。また
レイヤーとオブジェクトは名前を変
えることもできます。オブジェクト
を選択した状態で【OBJECT】の下に
ある入力欄につけたい名前を入力す
るだけでOKです。レイヤーは
【LAYER】の隣にある鉛筆のマーク
をクリックすると名前を編集するこ
とができます。もう一度鉛筆マーク
を押すと終了です。入力できるのは
半角英数字のみとなっています。わ
かりやすい名前をつけて作業をする
ことをおすすめします。

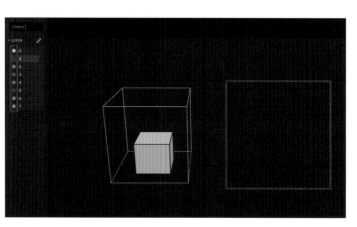

ここでは実際にモデリングをしていきます。モデリングするのは部屋です。まずはじめに家具を作り、その次に部屋の壁や床などを作っていきましょう。作った部屋に家具を配置して完成です。

1　椅子の脚を作る

椅子を作ってみましょう。椅子は比較的簡単なモデルです。今まで紹介してきた機能で作ることができます。まず初めに椅子の脚を作ります。色は茶色を選んでください。カラーパレットは「index：96」❶です。椅子の脚を1本ずつ作る方法もありますが、ここでは【Mirror】機能を使ってみましょう。【Brush】パネルの【Mirror】でXYZ軸対称にボクセルを配置することができます。【Mirror】の【X】❷を押します。【B】で四角の平面を作り【F】で厚みをつけましょう❸。縦横「2ボクセル」ずつ、高さは「5ボクセル」で脚を作ります。【X】がオンになったまま作ると左右対称に作ることができました。後ろの脚も同じように作ってみましょう。脚が4本できれば脚は完成です。

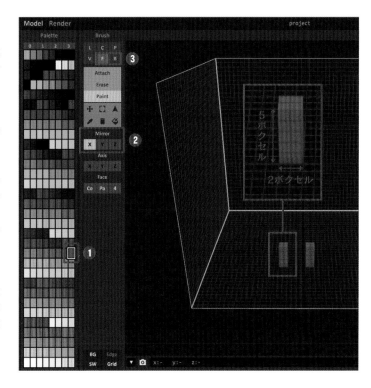

2　椅子の座面を作る

脚ができたら椅子の座る部分を作りましょう。座る部分は平らなので平面を作ります。このとき【Mirror】の【X】はオフにしておきましょう。先ほどのように【B】と【F】で平面を作って厚みをつけましょう❶。まずは【B】にしてどれか1本の脚から対角線上にある脚までドラッグしてください❷。脚の上面にカーソルがくるように動かすのがポイントです。次に【F】で「1ボクセル」厚みをつけましょう。これで座面は完成です。

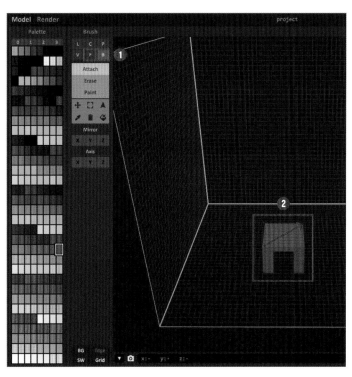

最後に背もたれを作りましょう。まず【B】で図のようにドラッグして厚さ「1ボクセル」の背もたれの土台を作りましょう。土台ができたら【F】で厚みをつけます。厚さは「8ボクセル」です。全体のバランスを見て、バランスが悪いと思ったら調整してください。

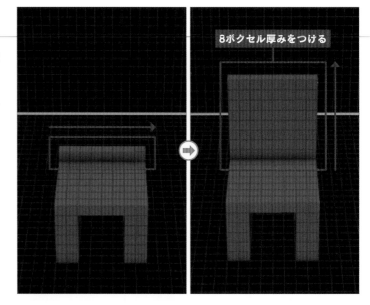

椅子の全体ができましたが、これだけでは少し物足りない感じがします。そこでワンポイントとして、背もたれに色をつけてみましょう。背もたれが木の枠でできていると考えてみてください。枠の中は赤い布が貼られているとしましょう。そのイメージで背もたれに【B】の【Paint】で色を付けましょう。色は「index：220」の少し暗い赤色を使います❶❷。背もたれの外側を「1ボクセル」だけ茶色のままにして、内側を赤色にします❸。こうすると単調な見た目から少し引き締まって見えるようになります。

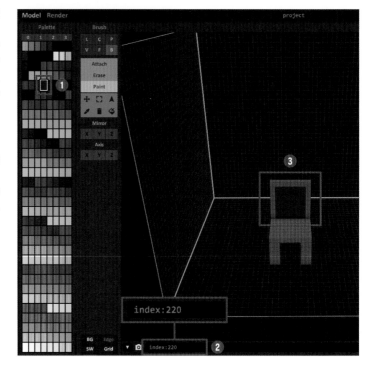

4 オブジェクトの サイズと位置の調整

次にテーブルを作る前に、作った椅子を編集しておきましょう。椅子の枠は「40×40×40ボクセル」になっています。少し余分です。枠のサイズをぴったりにするには【Edit】パネルから【Tool】❶の【Fit】❷を使います。【Fit】をクリックすると枠が作ったボクセルぴったりに調整されます。右上にある枠のサイズも変更されていることを確認❸してください。しかし、【World】エディタで見てみると椅子が地面から浮いてしまっています。このように地面からオブジェクトが浮いてしまっているときには【Move】❹の【Ground】❺を使います。【Ground】をクリックすると地面に接するように位置が調整されます。

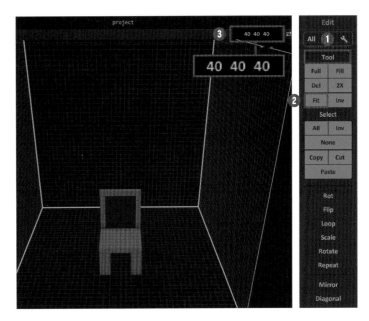

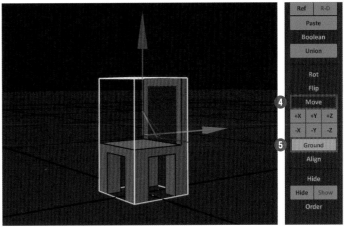

5 レイヤーを変更する

作った椅子はテーブルを作る時に表示したままでもいいのですが、邪魔になってしまうこともあります❶。そういうときはレイヤーを非表示にしておきましょう。大きさを確認したいときだけ表示すればOKです。ここでは黄色から黄緑に変更しました❷。鉛筆マークをクリックして黄緑のレイヤーの名前を「7」から「chair」としておきましょう。黄緑の丸をクリックして非表示にしてください。そしてまたレイヤーを黄色に戻しておきましょう。黄色いレイヤーの右の数字が書かれた部分をクリックしてください。色が薄い灰色に変われOKです。

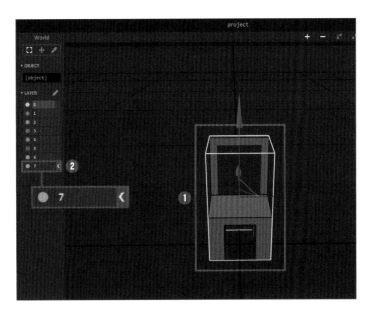

6 オブジェクトを 追加する

テーブルを作るためのオブジェクト を追加しましょう。プラス（＋）マーク をクリックして追加しましょう。追 加して【World】エディタから【Model】 エディタに戻ると、サイズが「126 ×126×126ボクセル」であること がわかります。大きさはもっと小さ くていいので、ひとまず「40×40× 40ボクセル」にしておきましょう❶。 サイズの変更についてはSTEP03-1 を参照してください。

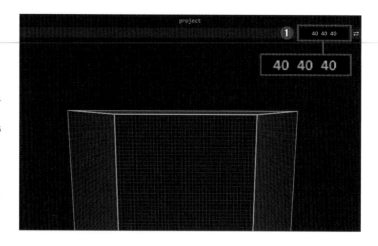

7 テーブルの脚を作る

テーブルも椅子と同じように脚から 作ります。色は焦げ茶色「index： 138」にしておきます。横長のテー ブルにしてみましょう。STEP04-1 でも紹介したように【Mirror】を使っ て作ります。時々【World】エディタ に戻って椅子のレイヤーを表示させ て大きさなどを比較するとサイズ感 も統一できます。表示したまま 【Model】エディタに戻ることもでき ます。テーブルの脚の厚さは「9ボク セル」にしました。

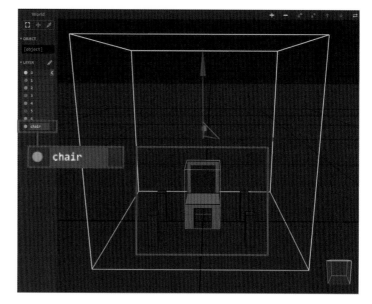

8 天板を作る

脚ができたら天板を作ります。天板 は椅子の座面を作るのと同じく【B】 で平面を作り【F】で厚みをつけます。 天板は「2ボクセル」厚みをつけまし た。ここでもワンポイントです。 テーブルクロスを作ってみましょう。 椅子の背もたれと同じように【B】の 【Paint】でボクセルを塗ります。 「index：223」❶の濃い赤を使って布 を表現します。さらに「index：3」❷ のクリーム色で線をいれましょう。 これでテーブルは完成です。

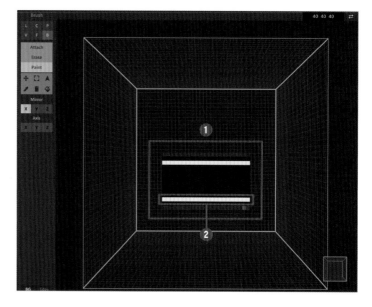

9 サイズとレイヤーを変更する

椅子でもやったようにサイズとレイヤーを変更しましょう。【Model】エディタから【Tool】の【Fit】でサイズを変更し、浮いている場合は【World】エディタから【Move】の【Ground】で地面につけましょう。そして【Layer】でレイヤーを変更します❶。今回は下から2番目の青緑にします❷。レイヤーを変更したら名前をつけておきましょう。「table」にしておいてください。

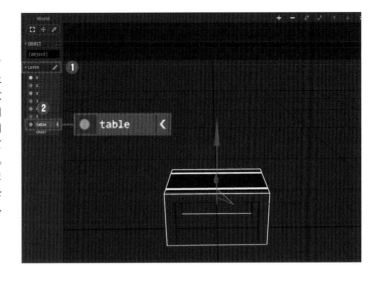

ここで下の「chair」を表示させてみてください。そうすると机と重なってしまっていることがわかります。椅子を少しずらしておきましょう。また、テーブルも少しずらしておきます。ずらし終わったらテーブルと椅子を非表示にします。そしてレイヤーを黄色に戻しオブジェクトを追加します。追加したオブジェクトが「40×40×40ボクセル」よりも大きければサイズを調整しましょう。【Model】エディタの右上の数字が書かれた場所で調整できます。

10 ベッドの脚と床板とマットレスを作る

ベッドも椅子やテーブルと同じように脚から作ります。色は椅子と同じ「index：96」を使いましょう。ベッドはあまり高さを出さず「5ボクセル」❶ぐらいでいいでしょう。奥の脚との距離は「8ボクセル」にします。床板はベッドのマットレスを乗せる部分になります。【Brush】パネルの【B】と【F】で作っていきましょう。厚さは「2ボクセル」❷です。次にマットレスを作ります。マットレスの色はクリーム色の「index：2」を使いましょう。色を選択した後【F】で厚みをつけます。「2ボクセル」❸にしておきます。

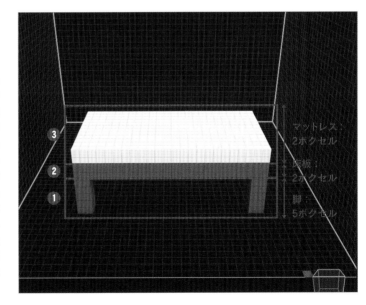

11 布団と枕を作る

次は布団と枕です。布団の色は椅子やテーブルと統一感を出すために赤色の「index : 220」を、枕はクリーム色の「index : 2」を使います。まずは布団からです。布団は顔が出る部分を「5ボクセル」ほどあけて【B】の【Paint】で平面を塗ります。厚さは必要ありません。布団はベッドにきっちりのっているわけではありません。左右の部分に少し布団をたらしておきましょう。枕は枕の周りに「1ボクセル」空きがあるぐらいが見栄えがよくなります。色を変更してから【B】の【Attach】で追加しましょう。これでベッドは完成です。【Tool】の【Fit】でサイズを変更し、【World】エディタから【Move】の【Ground】で地面に接するようにしておきましょう。レイヤーは青にします。名前も「bed」と編集してください。他の家具も表示させ、位置をずらしたりして大きさや色のバランスなどをチェックしてみてください。

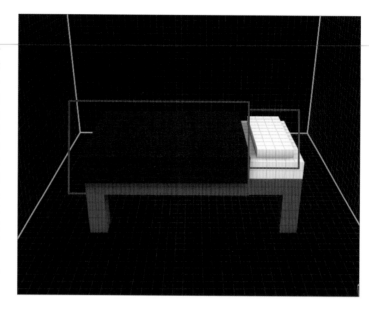

12 本棚の本体を作る

本棚は他の家具との大きさのバランスを見ながら作ってみましょう。【world】エディタで今まで作った椅子、机、ベッドをすべて表示してください。そして横に並べてみましょう。表示した状態でオブジェクトを追加しましょう。他の家具と重なってしまった場合は追加したオブジェクトか、別の家具を動かして重ならないようにしてください。【Model】エディタに戻り枠の大きさを「40×40×40ボクセル」にします。色はテーブルと同じ濃い茶色の「index : 138」です。x軸に「26ボクセル」、y軸に「10ボクセル」、z軸に「17ボクセル」で作りました。この大きさであれば他の家具とのバランスが取れます。大きさはわかったので、【World】エディタから他の家具を非表示にしてください。

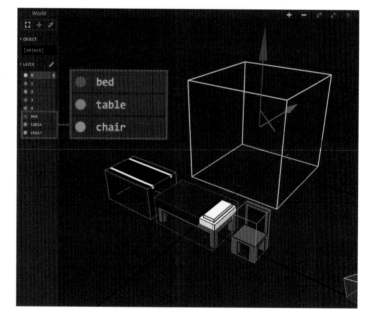

13 収納する空間を作る

また【Model】エディタに戻り次は本や物を収納する空間を作ります。空間は本棚の本体の一部を削除して作ります。まず【Brush】パネルの【B】から【Erase】にします。そして外側から「2ボクセル」内側へ入ったところをx軸に「22ボクセル」、z軸に「8ボクセル」削除します。次に【F】から【Erase】にし、削除して凹んだ場所をさらに削除していきます。本棚本体はy軸に「10ボクセル」あったので、y軸に「8ボクセル」削除しましょう。これで一番上の空間は完成です。

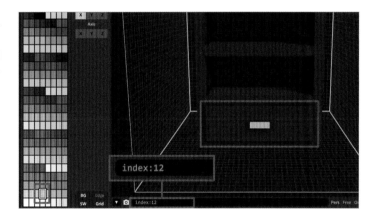

作った空間から「2ボクセル」あけて同じように空間を作りましょう。ふたつ目の空間ができたらさらにその下に「2ボクセル」あけて平面を追加しましょう。荷物を収納するための引き出しを作ります。【B】で平面を追加したら真ん中に黄色「index：12」で取っ手をつけましょう。

14 本棚の本を作る

本棚に置く本を作りましょう。同じ色を並べてしまうと本に見えなくなってしまうので、違う色を並べていきます。まず「紙でできたページ」「タイトルが書かれている部分」はクリーム色の「index：2」にします。そして本自体の色は色をわけるのが簡単になるように赤「index：218」、青「index：200」、緑「index：168」を使います。本を作るにはまず【Brush】パネルの【F】から【Attach】で一番上の空間の左の壁に赤で厚みをつけます。そして背表紙になる部分を【Erase】で「1ボクセル」削除します。

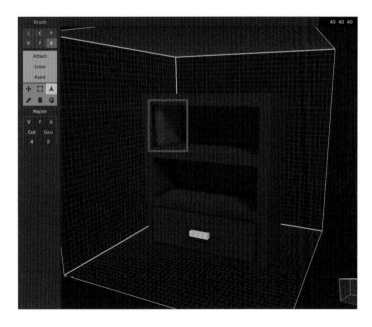

15 本を敷き詰める

次に色を変えて【F】の【Attach】で厚みを追加します。これを反対側の壁まで行ないます。同じ色が続かないようにしましょう。背表紙にはタイトルが書かれている部分があるのでクリーム色を塗りましょう。本によって位置をずらすと並べて見やすくなります。これで空間がひとつ埋まりました。

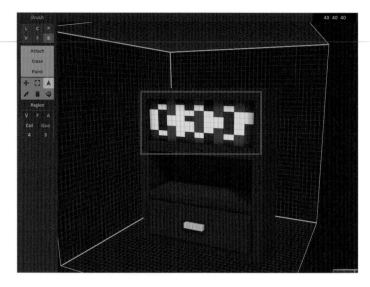

16 本をコピーする

下の段を埋めるときにもう一度同じことをせず、作った本をコピーして配置しましょう。今回は本に使っている色以外をまず選択します。選択はSTEP02-1で紹介した矢印マークの【Region Select】を使います。【Region Select】の下にある設定は【V】【Col】【4】にしてください❶。本以外（茶色の本棚と黄色の取っ手）を選択します❷。複数選択する場合はキーボードの「Shift」キーを押しながら選択してください。

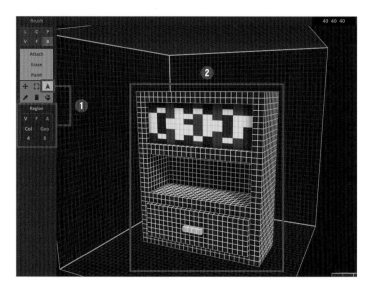

選択ができたら【Edit】パネルから【Select】❸の【Inv】❹をクリックします。【Inv】はInverseの略で選択範囲を反転させます。反転すると本だけが選択されることになります。本だけが選択されたことを確認して、コピー&ペーストします。コピー&ペーストについてはSTEP02-2で紹介しています。

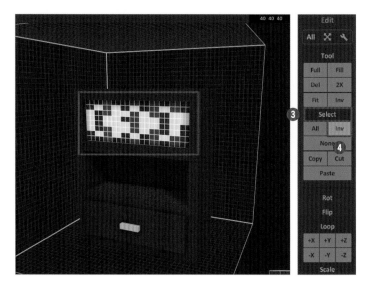

ペーストすると同じ場所に重なるため
ペーストできていないように見え
ますが、ちゃんとペーストされてい
るので選択状態のまま下に動かしま
しょう。下の空間に本が納まるよう
に調整すればOKです。

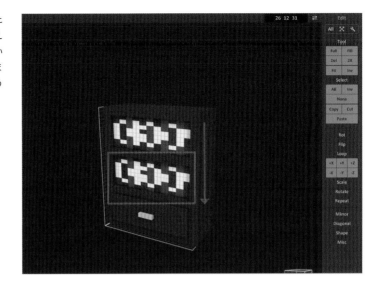

17 本の細部を調整

ここでワンポイントです。上と下と
で本が全て同じだと違和感がありま
す。下の段は選択したままで【Flip】
❶の【X】❷をクリックしましょう。
Flipは「ひっくり返す」という意味で
す。上下で別の本を置いているよう
に見えるので見栄えが良くなりま
す❸。

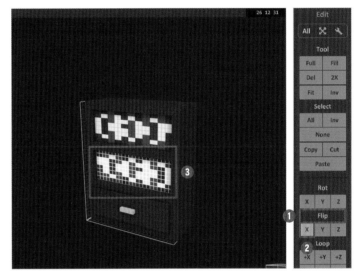

これで本棚は完成です。他の家具と
同じように【Fit】でサイズを調整し、
【World】エディタでレイヤーを移動
してレイヤー名を変更しておきま
しょう。水色のレイヤーに移動させ
て「book shelf」という名前にしま
す❹。

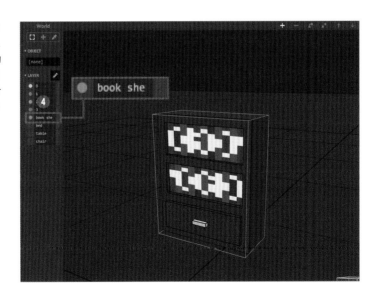

家具を置くための部屋を作りましょう。部屋に必要なのは「壁」「床」「ドア」「窓」です。まずは壁と床を作りましょう。

1 壁と床を作る

まずオブジェクトを追加します。そして作った家具を全て表示させてみましょう。追加されたオブジェクトのサイズを【Model】エディタに戻って確認してください。「40×40×40ボクセル」になっています。【World】エディタに戻りオブジェクトの範囲と家具のサイズを比べてみましょう。オブジェクトのサイズが小さすぎるのがわかります。

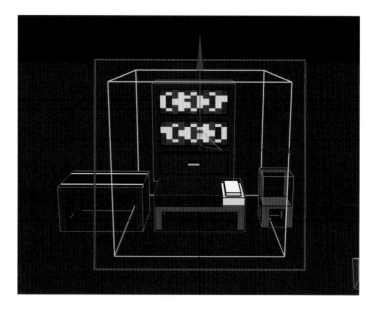

家具を表示したままにして【Model】エディタでオブジェクトのサイズを調整しましょう。家具の大きさから考えて「70×70×70ボクセル」ぐらいあると部屋としてまとまります。サイズを調整するとオブジェクトが地面に埋まってしまっている状態になるので【World】エディタの【Move】から【Ground】をクリックして位置を直しましょう。それができたら床と壁を作ります。まず床からです。床は地面から「2ボクセル」で色は「index：88」です。【F】の【Attach】で追加します❶。次に壁です。壁は正面と右に作りましょう。左から部屋を見ることができるような配置にします。壁も床と同じように作ります。色は「index：96」です。【F】で厚みをつけます。正面の壁は「y軸に2ボクセル」❷、右の壁は「x軸に2ボクセル」❸です。

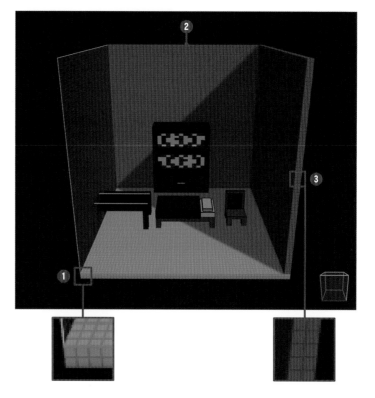

2 壁と床にワンポイントの色を入れる

これで床と壁ができました。ここでワンポイントです。広範囲に同じ色を使ってしまうと変化がなく退屈になってしまいます。「z軸の62」から下に「7ボクセル」分だけ茶色「index：138」で塗りましょう❶。そして更にそこから「2ボクセル」分下に「2ボクセル」分を茶色で塗ります❷。これだけで空間が引き締まって見えます。

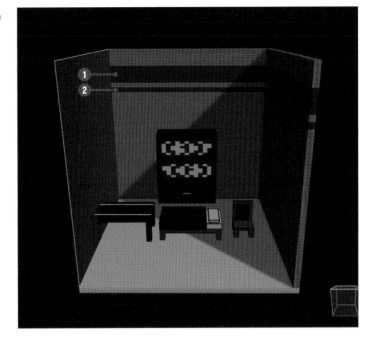

床も引き締めたいのですが、合う色がありません。合う色が見つからない場合は自分で色を作ってみましょう。「index：88」の色をコピーして、コピーした先で色を作ります。色のコピーはコピーしたい色にカーソルを合わせて「Control」＋「Shift」キー（mac：「command」＋「Shift」キー）」を押しながら移動させます。そうすると同じ色が作られます。今回は「index：88」の左隣に作ってみましょう。コピーした先にある「index：87」の色を変えます。色の変更はカラーパレットの下にある「Color」をクリックして❸、調整するためのバーを出します。今の色から少し暗い色を使ってみましょう。「V」を少し黒に近づけましょう❹。数値では「119 119 79」です❺。床の上下左右に「2ボクセル」ずつあけて塗ります。これで床も見栄えが良くなりました。壁と床は黄色のレイヤーで「room」と名前を変えておきましょう。

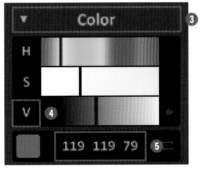

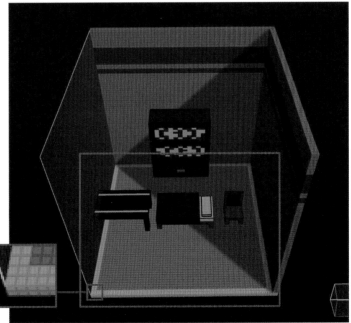

3 家具を配置する

壁と床ができたので家具を配置していきます。現在の家具は床に2ボクセル埋まっている状態になってしまっているので、すべての家具を2ボクセル分z軸に動かします。【World】エディタで家具をすべてクリックして選択します❶。複数選択の場合は「Shift」キーを押しながらクリックをします。すべて選択したら【Edit】パネルから【Move】の【+Z】を2回クリックします❷。選択したものをドラッグしても動かすことができます。

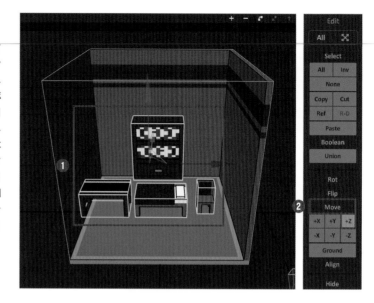

【Select】の【None】で選択を解除します。またはキーボードの「Control」＋「D」キー（mac:「command」＋「D」キー）」でも選択解除ができます。選択を解除したら動かしたい家具のみを選択して部屋の中に配置していきます。家具を回転させたい場合は【Rot】❸を、反転させたい場合は【Flip】❹を使います。画像のように家具を配置して完了です。もちろんこれ以外の配置でも構いません。ただこれからドアと窓をつけるので画像に近い配置にしておくと理解しやすいと思います。

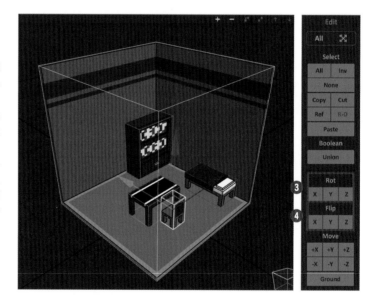

4 ドアを作る

最後にドアと窓を作ります。ドアと窓は部屋の面積が広い部分を埋めるのにちょうど良いものです。まずドアを作りましょう。ドアは【Brush】パネルから【B】の【Attach】で平面を作ります。色は「index:102」で「x軸に16ボクセル」、「y軸に1ボクセル」、「z軸に29ボクセル」の大きさにします。

ドアにはドアノブが必要です。黄色
「index:12」でドアノブを作りましょ
う。「x 軸に3ボクセル」、「y 軸に2
ボクセル」、「z 軸に3ボクセル」でちょ
うど良い大きさになります。

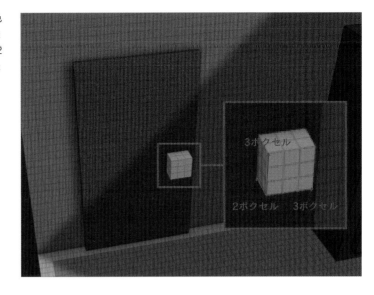

3 窓を作る①

次は窓です。まずは窓枠から作りま
す。窓枠は茶色「index：138」、窓
ガラスは水色「index:80」です。【B】
の【Attach】で枠を作り、【Erase】
でガラスになる部分を削除し、そこ
を水色「index：80」で塗ります。塗
るときは【F】の【Paint】で塗りましょ
う。反対側まで塗りたいので、奥に
塗るようにドラッグしてください。
壁の向こう側も水色になっていたら
OKです。視点を変えて確認してく
ださい。

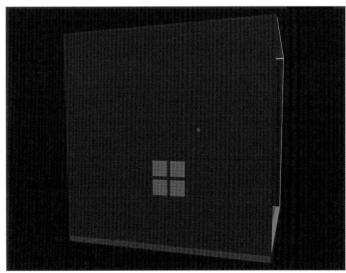

6 窓を作る②

窓がひとつできたら右側のもう一方の壁にも作ります。右側は大きな窓にしてみましょう。以上で部屋は完成です。

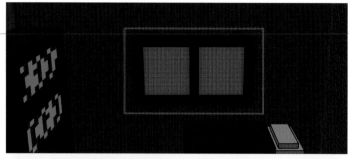

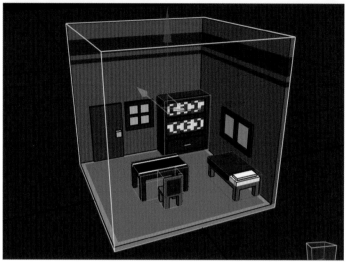

STEP 06 レンダリング

MagicaVoxelではできあがったモデルをレンダリングして1枚の画像にすることができます。またレンダリングの際に設定すれば、金属のように見せたり、発光させるなどの特殊効果をつけることができます。

1 デフォルトの レンダリング設定

まずはデフォルトの設定でレンダリングしてみましょう。レンダリングは【Model】タブの横にある【Render】タブをクリック❶します。するとRender画面になります。Render画面の上にある再生マーク❷を押すとレンダリングが始まります。青いバー❸が右端までいき、再生マークが停止マークになればレンダリングは完了です。

2 lightの設定①

レンダリングは光源の設定を変える
だけで見た目が大きく変化します。
例えば光源の位置を変えると影の位
置も変わります。光源の色を変える
と雰囲気が変わります。実際に光源
の設定をしてみましょう。【Render】
画面の中の【Light】パネル❶から太
陽のマーク❷をクリックします。こ
れは光源の位置や角度、色を設定す
る項目です。

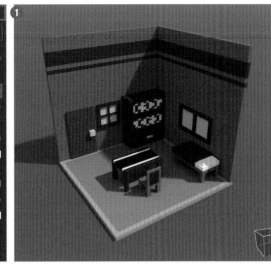

光の強さを設定するには【SKY】❸を
使います。なぜ「SKY」という名前
かというと、MagicaVoxelのレンダ
リング画面内に広がる地面の上の白
い空間を空と考えているためです。
【SKY】では空の光の強さを設定する
ことになります。【Intensity】❹は
強度という意味です。設定を変えて
みましょう。【Intensity】の隣にあ
る数値をクリックすると入力ができ
ます。下にある白いバーを左右に動
かすこともで調整はできます。【SKY】
の【Intensity】を「0」にしてみてく
ださい。画面が少し暗くなったのが
わかります。また色を設定すること
もできます。デフォルトでは白色❺
に設定されています。

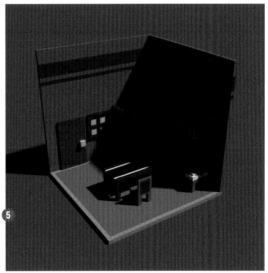

次に設定するのは【SUN】です。「SUN」
は太陽という意味でここで太陽の光
の強さや色を調整します。【SUN】
の【Intensity】の数値を「70」から「20」
にしてみましょう。暗くなったのが
わかります。「0」にすると光源がな
い状態なので真っ暗になります。

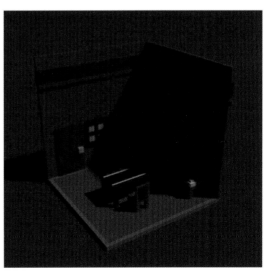

先ほど設定した【SUN】と【SKY】の数値を「70」に戻して次は【Angle】と【Area】❶を試してみましょう。【Angle】で太陽の位置、【Area】で影の濃度を調整できます。【Angle】は左側が左右の軸を中心とした回転「Pitch Angle」で「90～‐90度まで」入力でき、右側が上下の軸を中心とした回転「Yaw Angle」で「0～360度まで」入力できます。まず「Pitch Angle」のほうを「50」から「30」にしてみましょう。太陽の位置が上から下に、50度から30度に下がったので影が長く伸びています。

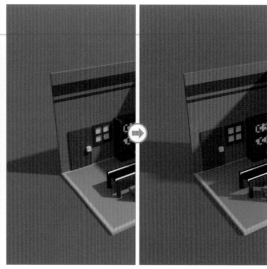

「Pitch Angle」を「50」に戻し、「Yaw Angle」を「200」にしてみましょう❷。太陽の位置が右から左へ、50度から200度に変わったため影の位置も変わりました。

次は【Area】です。【Area】の値を「7」から「50」にしてみましょう❸。はっきりしていた影がうっすらとしたものに変わりました。影の濃度だけでも雰囲気が変わることがわかります。

【SUN】や【SKY】は色を変えること
もできます。白い四角をクリックす
ると色を調整することができます。
例として両方青を選択しました。す
るとレンダリング画面の空間が青く
なります。どちらか片方だけを青く
することも可能です。色で印象がガ
ラリと変わるのでいろんな色を試し
てみてください。

4 画像の保存①

レンダリングした画像はpng形式で
保存することができます。左下にあ
るカメラマーク❶を押し保存場所を
選択して保存できます。また保存す
る画像のサイズは右上のイメージサ
イズ ❷ から変更できます。「1～
2048」まで入力できます。

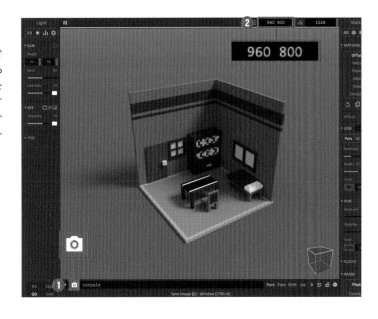

また背景を透過（透明）にして保存す
ることも可能です。まず左下の【GD】
❸をクリックして地面を非表示にし
ます。「GD」は「Ground Display」
の略です。オンだと地面が表示され、
オフだと地面が非表示になります。
そして【BG】❹をクリックします。
「BG」は「Display Background Color」
の略で背景を表示します。次に
【Display】パネルの左から4番目の
歯車のマーク【Show Display Setting】
❺をクリックします（パネルの名称
が【Display】になります）。その中
の【BG】から【Transparent】❻に
チェックを入れます。その状態でカ
メラマークをクリックすると背景が
透過された状態で保存できます。

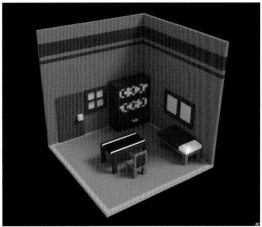

4 画像の保存②

未透過だと**A**のように地面や地面に映った影などが表示されます。透過済みだと**B**のようにモデリングしたボクセルだけが表示されます。

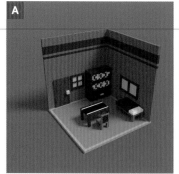

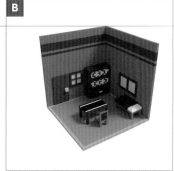

5 SHAPE

【Display】パネルの歯車のマークの【Show Display Setting】**①**の【SHAPE】**②**はボクセルの見た目を変えることができます。変わるのは見た目だけです。そのため、【Model】画面に戻ると元の立方体になります。ボクセルが実際に形が変わっているわけではないので注意してください。ブロック風や球体などに見た目を変えることができます。見た目を変えた後も画像として保存できます。画像の保存方法は通常と同じです。

STEP 07　マテリアルの設定

【Render】画面では【Matter】でボクセルに特殊な設定をつけることができます。特殊な設定をつけることでボクセルの表現の幅が広がり、より魅力的に見せることができます。

1 Matterの設定

【Matter】パネルの下にある箱のマーク【Show Material Setting】**①**をクリックします。そうすると【MATERIAL】**②**という項目が表示されます。通常状態だと選んだ色のすべてのボクセルに対して特殊な設定をします。特定の色のボクセルをガラスにしてみましょう。窓ガラスに使った「index：80」の水色を選択してください。色を選択したら【MATERIAL】の中から【Glass】**③**を選びましょう。【Glass】の値**④**を大きくすると窓ガラスが透明になり、向こう側が見えてきます**⑤**。

特殊な設定は色ごとに設定されるので、同じ色のものはすべてその設定になります。また【MATERIAL】の隣の【All】**6** をクリックしてオンにするとすべてのボクセルに設定が反映されるので注意してください。ここで作成したデータはダウンロードデータとして参照することもできるので、確認してみてください。

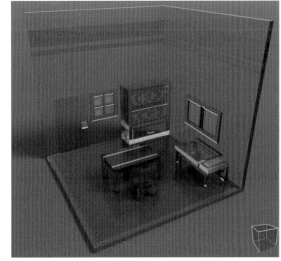

完成

MagicaVoxelの基本的な使い方を
キャラクターモデリングで把握する

ここでは簡単なキャラクターモデルの作り方を見ていきましょう。PART1から重なる部分もありますが、初めて操作する人はおさらいとして確認していくといいでしょう。

解説	Peccolona
Twitter	@Peccolona_tnjr

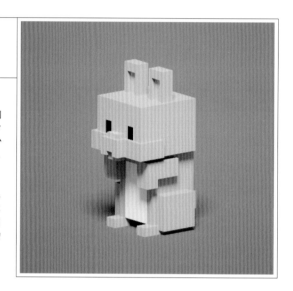

今回の作品について
MagicaVoxelに初めて触れる人でも簡単に作れるモデルを制作しました。自分が得意な動物のモデルですが、よりキャラクターっぽさを前面に出した作風にしてあります。まずはとにかくソフトを触ってボクセルモデリングの感覚を掴んでください。

ボクセルアートの魅力とは
ボクセルモデルはその見た目から、誰しもが子供の頃に体験した積み木やブロック遊びを連想すると思います。その時に感じた、自分でものを作り上げる喜びやワクワク感を思い出し、さらには懐かしい気持ちにもなる「おもちゃ感」がボクセルの魅力だと思っています。

STEP 01　動物の体のモデリング

ここではMagicaVoxelでのボクセルモデリングとして必要最低限の機能を押さえながら、簡単なウサギのボクセルモデルを作ります。最終的には一枚のレンダリング画像にするまでの手順を説明していきます。また、ボクセルモデルを作るにあたって、初心者がつまずきやすい部分もあわせて紹介していきますので参考にしてください。

1 胴体のベースを作る

まずはウサギの胴体を作ります。【Brush】パネルの【B】ツール❶を選択します。新しくボクセルを置くので、モードは【Attach】❷を選択します。【B】ツールはクリック＆ドラッグで箱状にボクセルを置くことができます。今回は左右対称のボクセルモデルを作るので、ミラー機能を使います。【Brush】パネルの下にある【Mirror】の【X】❸をオンにしておきます。これで【Brush】ツールの操作がX軸上は左右対称に反映されるようになります。

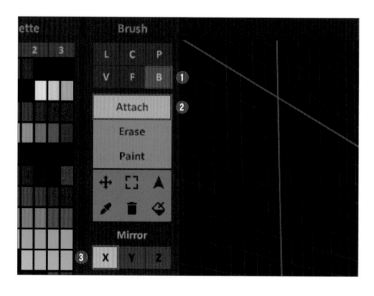

中心右下からドラッグして横6×縦18ボクセルの大きさの長方形を作ります。左右対称に作成されるので実際の大きさは12×18ボクセルになります。ボクセルの色は後で変えるのでデフォルトのままで大丈夫です。

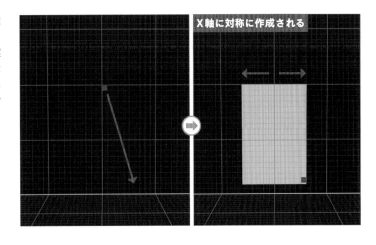

X軸に対称に作成される

2 胴体に厚みをつける

胴体に厚みをつけます。【Brush】パネルの【F】ツール❶を選択します。同じくモードは【Attach】❷を選択します。【F】ツールはクリックで面全体にボクセルを置くことができます。また、クリック＆ドラッグで連続してボクセルを置くことができます。面を11回クリック、もしくはクリック＆ドラッグで厚みを12ボクセルまで増やします。厚みを増やし過ぎた場合は【Erase】❸を選択してクリックすることで減らすことができます。これで胴体が完成しました。

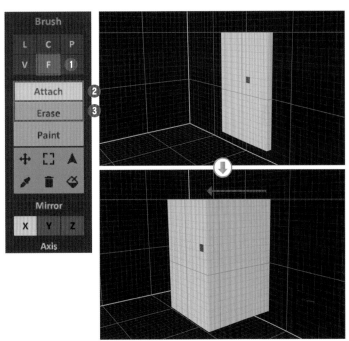

3 移動させる

MagicaVoxelの仕様上、空間に直接ボクセルを置くことはできないので、今はボクセルがスペースの壁にくっついています。このままだと制作がしづらいのでモデルを空間の中心に移動させます。まず視点を移動し、横から胴体が見える状態にします。【Brush】パネル内の移動ツール❶を選択します。その状態でボクセルをクリック＆ドラッグで移動させることができます。Y軸方向に動かして中心まで移動させます。

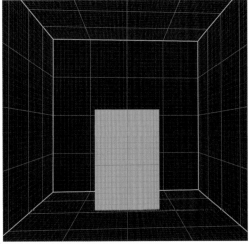

胴体が中心に移動したため、遠近法によりグリッドがズレて見えるようになりました。カメラの遠近法を変えることで解消します。モデリング画面の下部のカメラのモードを【Pers】から【Orth】に変更します。これで遠近感がなくなり、すべてのボクセルが同じ大きさで表示されてグリッドとモデルを合わせやすくなりました。

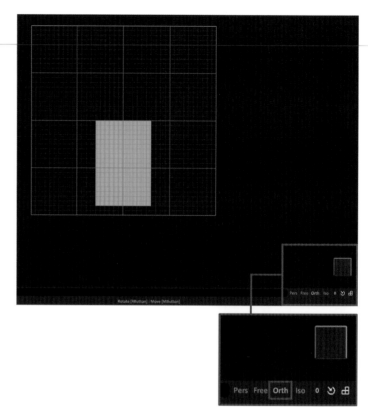

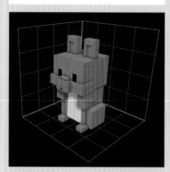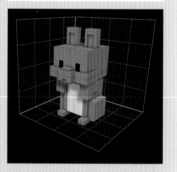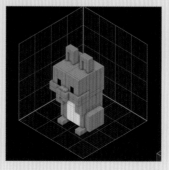

✎ POINT

カメラモードについて

MagicaVoxelには4つのカメラモードが用意されています。標準的な遠近感を出す【Pers】、遠近感は同じですがFPS（一人称視点のゲーム）のような視点操作ができる【Free】、遠近感をなくし、ボクセル距離によって大きさを変えない【Orth】、上下の角度が固定になりクォータービュー風になる【Iso】があります。最終レンダリング画像では好きな表現方法に合ったものを選びますが、モデリング作業中は【Pers】と【Orth】を適宜使い分けながら使用するのがいいと思います。Minecraft等のゲームに慣れている人は【Free】の方が使いやすいかもしれません。

5 足を作る

足の部分を作っていきます。まずは視点を上から見下ろすように移動します。そして、【Brush】パネルの【B】を選択します。

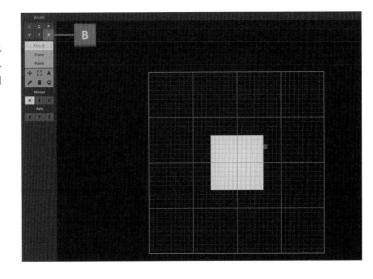

胴体の1ボクセル隣のマスから、クリック＆ドラッグで横3×縦13ボクセルの大きさの長方形を作ります。【Brush】パネルからモードを【F】に変更し、1回クリックして足に厚みをもたせます。これで足ができました。

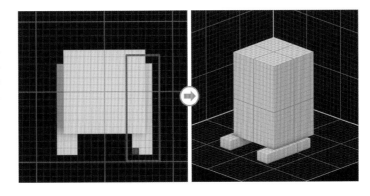

6 太もも部分を作る

太もも部分を作ります。視点を横から胴体が見えるように移動し、【Brush】パネルの【B】を選択します。先ほど作った足のかかと部分から左上に向かって横9×縦8ボクセルほどの長方形を作ります。少し厚みが欲しいので【F】に変更して1回クリックで厚みをもたせます。これで脚が完成しました。

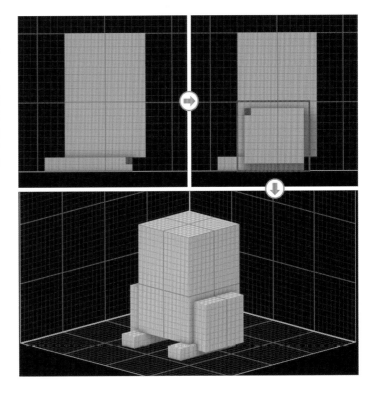

7 腕部分を作る

腕を作っていきます。視点を横から
胴体が見えるように移動し、【Brush】
パネルの【B】を選択します。胴体の
中央から正面に向かって横6×縦4ボ
クセルの長方形を作ります。【F】に
変更し、1回クリックで厚みを持た
せます。これまで何度か出てきた操
作ですが、【B】のブラシで形を作っ
た後、【F】のブラシで厚みをつける
というのがMagicaVoxelにおいてモ
デリングの基本操作になります。こ
れで上腕部ができました。

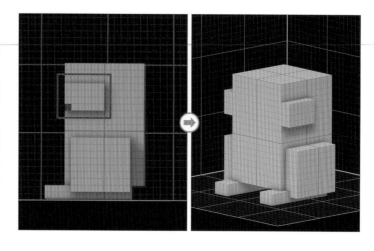

8 手を作る

手を作っていきます。視点を正面が
見えるように移動し、【Brush】パネ
ルの【B】を選択します。先ほど作っ
た上腕部の先端に横4×縦4ボクセル
の正方形を作ります。さらに【F】で
2回クリックし、腕の長さを伸ばし
ます。

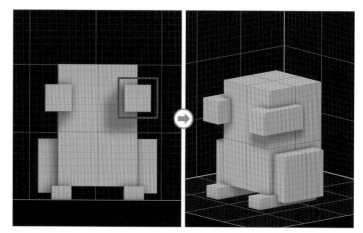

9 手の先を作る

手の先を作っていきます。視点を下
から見上げるように移動し、【Brush】
パネルの【B】を選択します。腕の先
端の胴体から出ている部分に横4×
縦3ボクセルの長方形を作ります。
【F】に変更し、1回クリックで手の
長さを伸ばします。これで腕の完成
です。

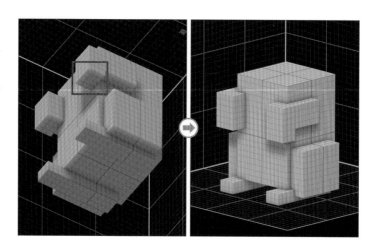

体部分が完成したので続いて頭部をモデリングしていきます。新たなツールも出てくるので引き続き機能を紹介しながらモデリングを進めていきます。もし操作方法が分からなくなったら少し戻って再確認してみましょう。

1 頭のベースを作る

体が完成したのでいよいよ頭を作っていきます。視点を上から見下ろすように移動し、【Brush】パネルの【C】モード❶を選択します。パネル下部の【Center】の欄をクリックし、それぞれ【Square】、【E】に変更❷します。【C】ブラシは、クリック＆ドラッグでクリックした点を中心に円もしくは正方形の平面を描くことができます。胴体の真ん中からドラッグして胴体より周囲2ボクセル大きい正方形を作ります❸。真ん中に穴が空いているので【F】で埋めておきます❹。

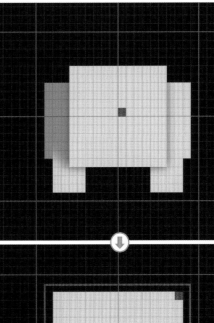

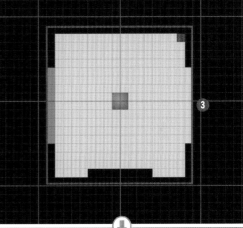

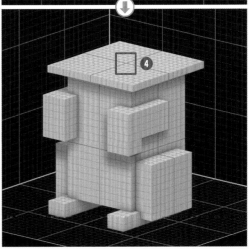

2 頭の部分だけを選択する

【Brush】のモードを【F】❶に変更し、クリック＆ドラッグで先ほどの正方形の厚みを10増やします。これで頭の形は完成ですが、もう少し前かがみの姿勢にしたいので頭の位置を移動させます。モデルの一部分だけを移動させたい場合、選択ツールを使います。【Brush】パネル内の選択ツール❷を選択し、【Select】のモードを【Box】❸にします。【Box】選択ツールはドラッグで箱状にボクセルを選択することができます。上面の角から前面の角までドラッグし、頭全体を選択します。グリッドが白色になると選択されている状態です。

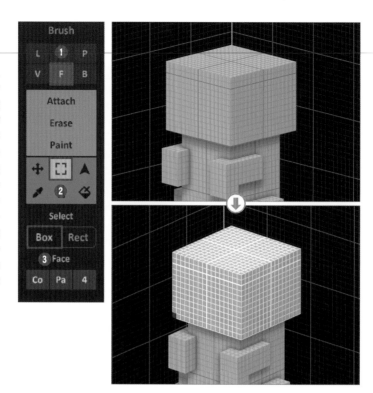

3 頭の位置を移動させる

選択した部分を移動させます。STEP01-3で紹介した移動ツールを使用してもよいのですが、ここではより簡単な方法を紹介します。MagicaVoxelではどのツールを使っている時でも、「Ctrl」キー＋ドラッグでボクセルの移動ができます（macの場合「Ctrl」キー部分は「command」キー）。視点を側面が見えるように移動し、先ほど選択した部分を「Ctrl」キー＋ドラッグで移動します。ここでは下方向に2ボクセル、体の正面方向に3ボクセル分移動します。ボクセルの移動は一度に1軸方向にしかできないので2回に分けてドラッグで移動します。これで頭を少し下げたような姿勢になりました。

SHORTCUT

ボクセルの移動

Windows：
「Control」キー＋
ドラッグ

Mac：
「command」キー＋
ドラッグ

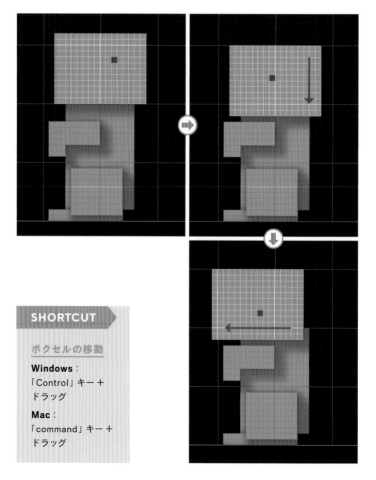

STEP 03　頭の細部をモデリング

ここからは顔のパーツを作っていきます。大事な部分なので少し細かい操作が続きます。引き続き一工程ずつ説明していきますが、操作に慣れてきた方は自分なりのバランスで作ってみてください。

1　耳の部分を作る

まずはウサギの特徴でもある長い耳を作っていきます。視点を上から見下ろすように移動し、【Brush】パネルの【B】を選択します。頭の真ん中あたりに横5×縦3ボクセル程の長方形を作り、【F】のブラシで耳の長さを6ボクセル分伸ばします。

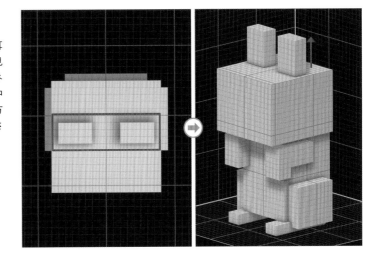

2　耳の部分に穴をあける

耳のディテールを作っていきます。耳の中を凹ませたいので、【Brush】パネルの【B】❶を選択します。さらに、下のモードを【Erase】❷に変更します。これで箱状にボクセルを消去できるようになりました。耳の中をクリック＆ドラッグで、横3×縦5ボクセルの長方形を消去します。これで耳は完成です。

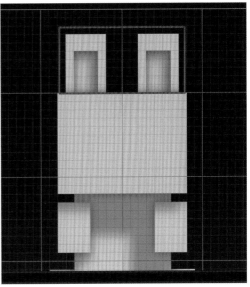

3 頬の部分を作る

顔周りのディテールを作っていきます。まずはほっぺの膨らみを表現するために顔の下部を作ります。【Brush】パネルの【B】❶を選択し、下のモードも【Attach】❷に戻します。顔の下から4ボクセル分を膨らませます。視点を顔が横から見えるように移動し、側面にも横7×縦4の長方形を作ります。これでウサギらしい膨らんだほっぺができました。

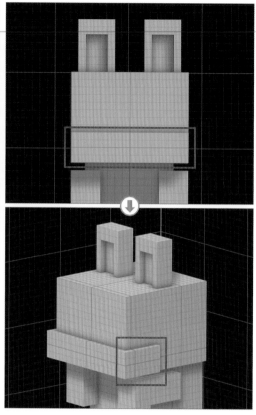

4 鼻と口の部分を作る

鼻、口のパーツを作っていきます。【Brush】パネルの【B】を選択し、視点を顔が正面から見えるように移動します。顔の中心、先ほどつくったほっぺの1ボクセル上から横4×縦5ボクセルの長方形を作ります。すると自動的に厚みを持った長方形ができていると思います。

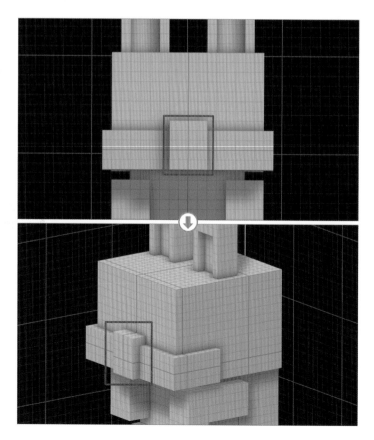

5 口周りの
ディテールを作る

口周りのディテールを作ります。【B】のブラシで先ほど作った長方形の左右を1ボクセル分膨らませます。さらに厚みを持たせたいので、その口周りの部分に横6×縦4ボクセルの長方形を作ります。だんだん顔の形が見えてきました。

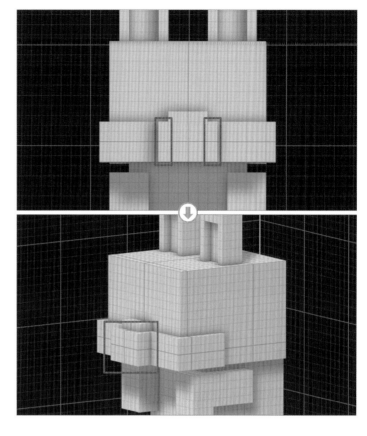

6 下あごを作る

下あごを作ります。【B】のモードを【Erase】に変更します。口の下、真ん中の2ボクセルを削除します。さらに視点を下から見上げるように移動し、【B】のモードを【Attach】に変更します。横4×縦3ボクセルの長方形を作ります。これで顔が完成しました。

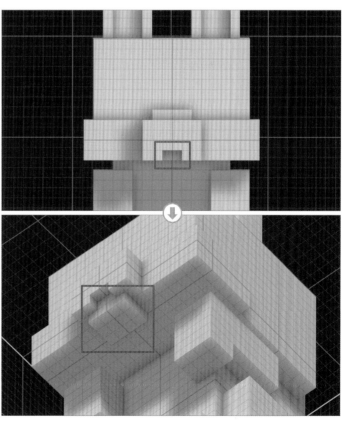

7 モデル完成

しっぽを付けるのを忘れていました。体の後ろが見えるように視点を移動し、【Brush】パネルの【V】①を選択します。さらに下部の【Voxel】のモードを【Cube】、【3D】にして、その下のブラシサイズを4に変えます②。【V】モードのブラシはクリックした場所に指定した大きさの正方形、円形もしくは立方体、球状のボクセルを置くことができます。お尻の真ん中をクリックしてしっぽをつけます。これでモデルの形づくりが完了しました。

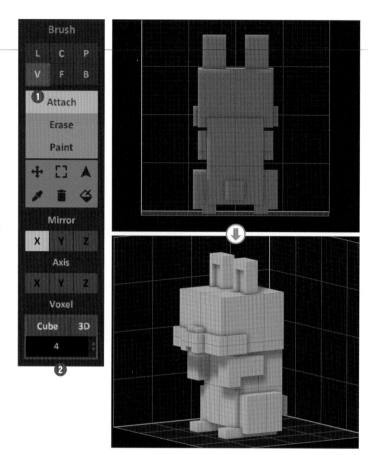

STEP 04　ボクセルの質感をアップしてみよう

モデルの形ができたのでここからは色をつけていく工程になります。まずはモデル全体の色を入れ替えます。その手順を見ていきましょう。

1 モデル全体の色を変更する

【Brush】パネルの色の入れ替えツール①を選択します。このツールはクリックしたボクセルと同じ色のボクセルを、現在選択しているパレットの色のボクセルに置き換えることができます。【Palette】パネルから任意の色をクリックして選びます。今回は薄い茶色を選びました。

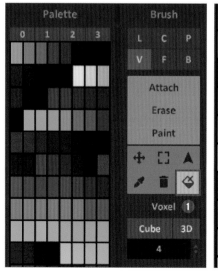
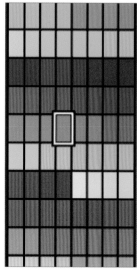

モデルのどこでもいいのでクリックすると、色が置き換わります。

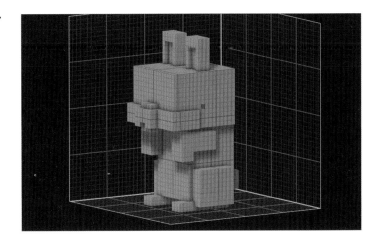

 POINT

モデルの
カラーリングについて

今回のモデリングでは先にモデルの形を作り、後から色を変えていく手法をとっています。初めからボクセルの色を指定して作ることもできるのですが、特に暗い色を使う場合、モデルが非常に見づらくなることがあります。なので、最終的に暗い色にする場合でも最初は明るめの色でモデリングをし、のちに入れ替える方法がおすすめです。ただし、色の置き換えツールを使用すると、同じ色はすべて置き換わってしまうので完成時とは異なる色を使います。

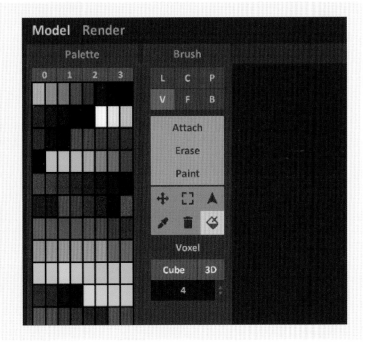

2 お腹の部分の色を塗る

お腹の色を変えていきます。【Brush】パネルの【B】❶を選択し、編集モードを【Paint】❷に変更します。【Paint】モードは既にあるボクセルの色を変えることができます。次に【Palette】パネルから薄い色❸を選択します。体の正面が見えるように視点を移動し、クリック＆ドラッグで色を塗ります。

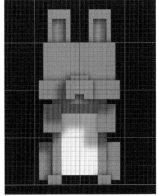

3　耳の中の部分を塗る

耳の中の色を塗ります。【Brush】パ
ネルの【F】❶を選択し、編集モード
を【Paint】❷にします。【Palette】
パネルからここではピンク色を選
択❸します。耳の中をクリックする
と一気に色を塗ることができます。

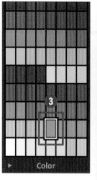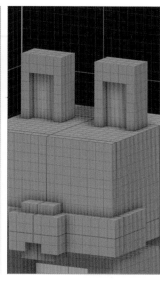

4　鼻の部分を塗る

顔の色を付けていきます。まずは鼻
を塗ります。【Brush】パネルの【B】
を選択し、編集モードを【Paint】に
します。【Palette】パネルからピン
ク色を選択します。お腹の色を変え
た時と同様にクリック＆ドラッグで
色を塗ります。

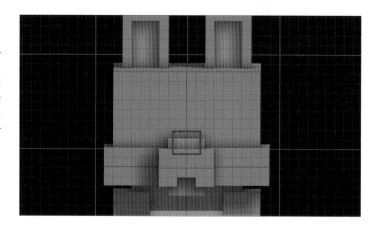

5　目の部分を塗る

目を塗っていきます。【Brush】パネ
ルの【V】❶を選択し、編集モードを
【Paint】❷にします。さらに【Voxel】
のモードを【Cube】、【2D】に変更し、
ブラシサイズを2にします ❸。
【Palette】パネルから濃い茶色を選
択❹します。クリックで色を塗れる
ほか、ドラッグするとお絵かきソフ
トのブラシのように色を塗ることが
できます。

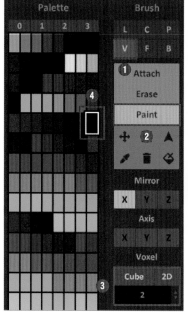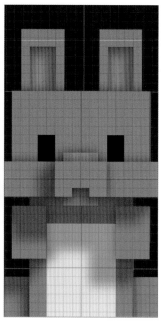

これで色塗りも含め、モデルが完成しました！

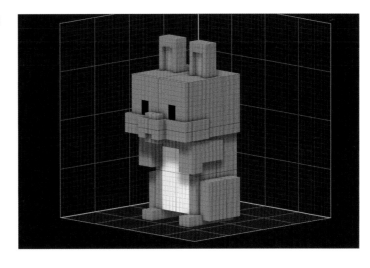

✎ POINT

カラーパレットについて

今回のモデリングではカラーパレットはデフォルトのものを使用しました。デフォルトのパレットは3種類（＋灰色1色の自作用パレット）ありますが、自分でパレットの色を作ることもできます。【Palette】パネルの下部のColorボタンを押すことでカラーピッカーを表示することができます。カラーピッカー上で色を調整すると選択しているパレットの色が変わります❷。パレットの色を変更すると、その場所のカラーで塗られていたボクセルの色も変わります。

またWindowsの場合、パレット上で「Alt」キー＋クリックで、そのままドラッグするとドラッグした先の色に変更することもできます。「Ctrl」キー＋ドラッグで色の入れ替え、「Ctrl」＋「Shift」キー＋ドラッグで色をコピーすることができます。さらに2色間で「Alt」＋「Shift」キー＋ドラッグでグラデーションを作ることができます❸。ただ、はじめのうちは1からパレットを作ってモデリングするより、デフォルトのパレットの色をその都度作ったほうが簡単です。

パネルを展開 | 色を作成 | グラデーション

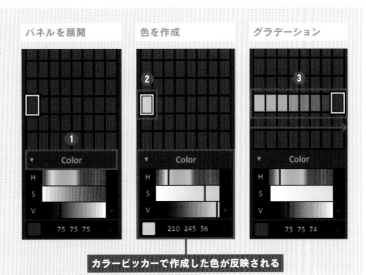

カラーピッカーで作成した色が反映される

SHORTCUT

色の変更

Windows：
「Alt」キー＋ドラッグ
mac：
「option」キー＋ドラッグ

色のコピー

Windows：
「Ctrl」＋「Shift」キー＋ドラッグ
mac：
「command」＋「Shift」キー＋ドラッグ

色の入れ替え

Windows：
「Ctrl」キー＋ドラッグ
mac：
「command」キー＋ドラッグ

グラデーション

Windows：
「Alt」＋「Shift」キー＋ドラッグ
mac：
「option」＋「Shift」キー＋ドラッグ

MagicaVoxelはレンダリング機能も備えています。詳しいレンダリング方法は後のパートで説明しますが、ここでは必要最低限の工程をお伝えします。

1 レンダリング

せっかくモデルを作ったので綺麗な一枚の画像にレンダリングしましょう。ウインドウの一番左上、【Model】と【Render】❶をクリックすることでモデリング画面とレンダリング画面を切り替えることができます。【Render】をクリックして画面を切り替えると早速レンダリングが始まります。レンダリング画面でも視点操作はモデリング画面と同じです。好きな角度に変更し、画面上部の青いメーター❷が右まで届くとレンダリング完了です。画面左下のカメラのボタン❸を押すとレンダリング画像をpng形式で保存することができます。

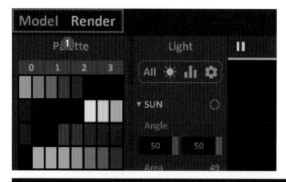

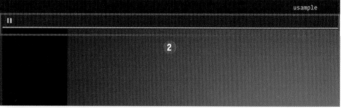

2 地面色の変更

今のままだと背景が少し味気ないので地面の色を変えます。【Light】パネルの下にある一番右の歯車ボタン❶を押します。下に出てきた項目の中の【GROUND】❷の色を変更します。文字の横の四角形をクリックするとカラーピッカーが出現します。各種スライダーを調整して地面の色を変えることができます。

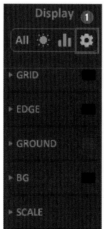

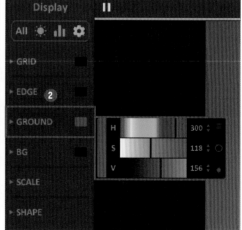

好きな色に変更したら画像を保存して完成です！

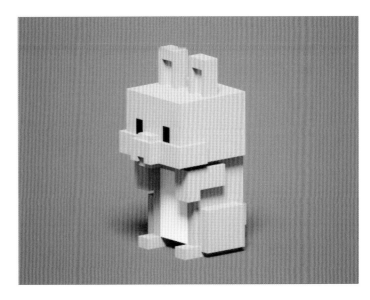

STEP 06 できあがったデータを保存する

ここまでで、ごく基本的なモデリングとレンダリングの機能は紹介し終わりました。忘れてはいけないのがモデルデータの保存。保存先や保存形式などはしっかり確認しましょう。

1 モデルデータの保存

レンダリング画像は保存できましたが肝心のモデルデータは保存されていません。モデルデータの保存はウインドウ右上のボタン❶から行なえます。Windowsの場合、「Ctrl」キー＋（別名保存の場合は＋「Shift」）＋Sでも保存が可能です。MagicaVoxelでは「.vox」という独自の拡張子で保存されます。保存先は解凍したMagicaVoxelフォルダ内のvoxというフォルダです。このフォルダ内に保存されている.voxデータは【Project】パネル❷内に一覧表示されます。ファイル名に日本語を使用することもできますが、【Project】欄でファイル名が空白になってしまうので半角英数字を使うことをおすすめします。これで保存完了です。

SHORTCUT

モデルデータの保存

Windows：
「Control」＋「S」キー

Mac：
「command」＋「S」キー

モデルデータの別名保存

Windows：
「Control」＋「Shift」＋
「S」キー

Mac：
「command」＋「Shift」＋
「S」キー

複数のモデルを管理する

ここからは複数のモデルを扱う方法を紹介します。モデリング画面右上の矢印のボタンを押すと、【Model】エディタと【World】エディタを切り替えることができます。

1 Worldエディタの切り替え

ここからは複数のモデルを扱う方法を紹介します。モデリング画面右上の矢印のボタン❶を押すと、【Model】エディタと【World】エディタを切り替えることができます。【World】エディタでは、先ほどまでモデリングしたモデルは【Object】という単位で扱われます。ひとつのオブジェクトの最大ボクセル数は126×126×126なので、それ以上の大きさのモデルを作りたいときは複数のオブジェクトを作り、合体させる形で制作します。また、地面に対しての位置もここから移動することができます。オブジェクトを左クリックで選択し、出てきた三つの矢印をクリック＆ドラッグで各軸方向に移動❷させることができます。

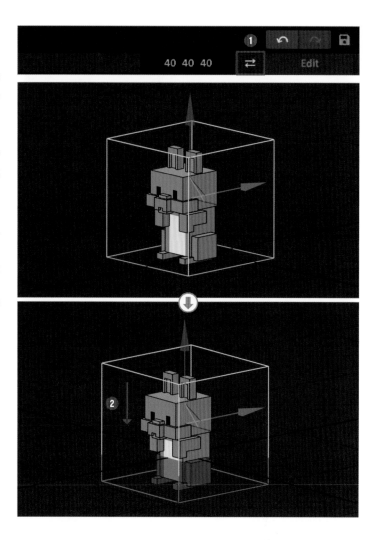

2 新しくオブジェクトを追加する

画面左上の【＋】ボタン❶を押すと、空白のオブジェクトが新しく生成されます。隣の【－】ボタンを押すと、選択しているオブジェクトが消去されます。また、オブジェクトはコピーすることもできます。【Edit】パネルの【Copy】【Paste】ボタン、もしくは「Ctrl」＋「C」キー、「Ctrl」＋「V」キーでコピー＆ペーストができます（mac：「Ctrl」キー部分は「command」キー）。

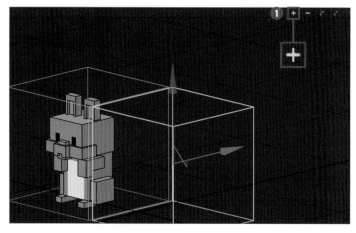

ペーストされたオブジェクトは元の
オブジェクトと同じ場所に現れるの
で移動させます。これをもとにモデ
ルのバリエーションを作り、並べて
レンダリングすることもできます。

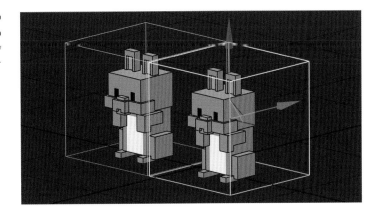

3 レイヤーの管理

各オブジェクトには名前が付けられ
ます。オブジェクトを選択した状態
で【World】パネル内の【OBJECT】
欄に入力します。日本語は使用でき
ないので半角英数字で入力します。
また、オブジェクトをレイヤーに分
けて管理することもでき、左の色の
ついた丸をクリックすると、そのレ
イヤーの表示・非表示を切り替えら
れます。ここで作成したデータはダ
ウンロードデータとして参照するこ
ともできるので、確認してみてくだ
さい。

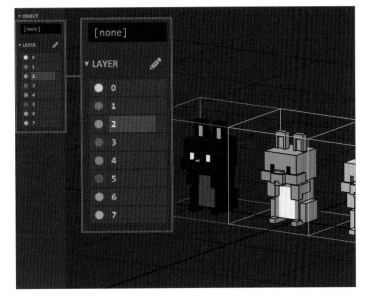

完 成

CHAPTER

ボクセルアート
中級編

モデリングの基本が理解できたら自分なりの作品を作ってみると楽しいでしょう。このパートではより踏み込んだ使い方を説明していきます。連続した動きとなる画像を出力すればGIFアニメーションとしてまとめることもできます。また、マテリアルの設定をしてレンダリングをすれば、モデルを光らせたり、水面に映るような表現も可能です。できあがったモデルを動かしたり、光らせたりなどの演出ができます。ここではそうした表現の一例をメイキングを通して紹介していきます。

できあがった静止画を組み合わせて
GIFアニメーションを作成する

GIFは静止画を組み合わせて動いているように見せる画像の形式です。別のソフトが必要ですがMagica Voxelでアニメーションもできます。

解説	権田支配人
URL	https://gondaman777.tumblr.com/
Twitter	@GONDAman555

今回の作品について

春っぽい絵をイメージし、サクラ！→トリ！と連想してテーマを「サクラとトリ」と定めて作り始めました。トリはメジロのつもりで作りました。メジロに見えたら嬉しいです。ボクセルでGIFを作るときは、最小のボクセルで表現できるようにすると動かしやすくてボクセル感のある絵になると思います。

ボクセルアートの魅力とは

絵が描けない人や3DCGの初心者でもボクセルを積んで形を作りレンダリングをすれば作品ができあがります。このような手軽さに加え、少ないボクセルで生成された絵は、ドット絵のように想像の余地がある絵になるのも魅力のひとつだと思います。

STEP 01　メインパーツのモデリング

はじめに動かすためのメインのパーツをモデリングしていきます。今回のメインは枝に止まるトリです。一番見せたい部分なのでしっかり作り込みます。メインがいい感じに仕上がるとその後の背景などもスムーズに進むと思います。

1　平面でベースを作る

GIF動画を作るために、まず動かしたい絵を作ります。まずはカメラを【Orth】に切り替え、モデルのサイズのY値を1にし、奥行きのない平面な絵で考えてみます。作りたい絵の大まかなシルエットを【Brush】パネルから【V】などで描いていきます。後に動かすことを考えて小さめの解像度で作るといいでしょう。今回は枝に止まる鳥を描きました。

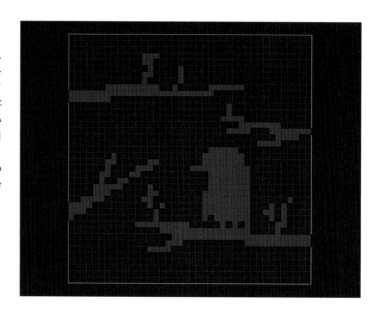

2 鳥に厚みを付けて モデリング

大まかな絵ができたら、一番見せたい部分を【Brush】パネルの【BoxSelect】で選択し、「Ctrl」(mac:「command」)＋「C」キーでコピーし、「TAB」キーで【World】エディタに切り替えた後、「Ctrl」(mac:「command」)＋「V」キーでペーストします。鳥のシルエットの部分をメインとして作りたいので、この部分だけ別オブジェクトとして複製しました。

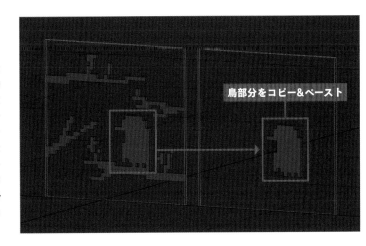

鳥部分をコピー&ペースト

複製した鳥のシルエットを【Model】エディタに切り替え、モデルサイズのY値を適当な値にし、厚みを【Brush】パネルから【F】の【Attach】で付けます。作りたいものが左右対称でなければ、ボクセルを削ったり盛ったりして、目標の形を作っていきましょう。

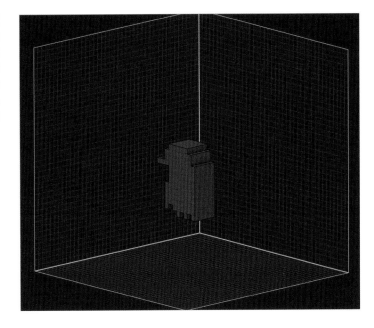

今回の鳥はY方向で左右対称にしたいので、【Edit】パネルの【Tool】から【Fit】❶でモデルサイズをボクセルが入る最小サイズにし、【Brush】パネルから【Mirror】モードの【Y】をオンにします❷。

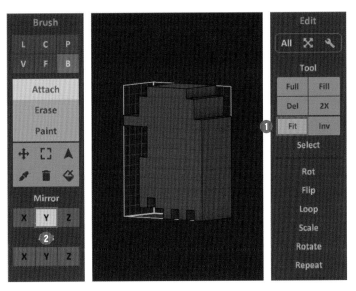

その後、作業しやすいようにモデルサイズを適当な値にします。【Mirror】モードはモデルサイズが奇数の場合、センターの1ボクセルを境として左右対称になります。今回は鳥のくちばしを幅1ボクセルで表現したいため、奇数のモデルサイズにしました。

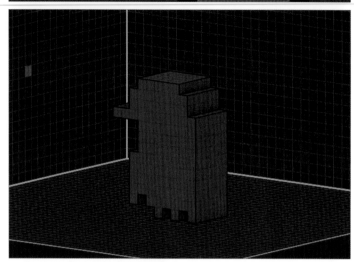

目的の形に見えるようにボクセルを削ったり盛ったりします。個人的にはボクセルらしさが残るようにあまり角を削らずに、シルエットでわかるような程度にすると雰囲気が出ていい形になると思います。

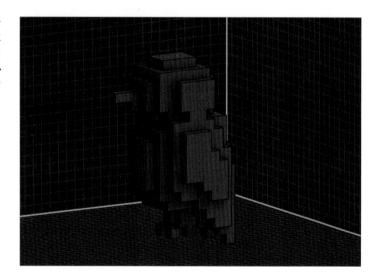

モデルに色を塗ります。パレットの色から選んで塗っても良いですが、自分で色を作って塗るのもいいでしょう。色を0から作るのが難しいと感じた時は、パレットのセルを選択した状態で「Alt」(mac:「option」)キーとマウスの左ボタンを押しながら、パレットの他のセルやソフト外の欲しい色（参考画像など）までカーソルを動かし、左ボタンを離すと色をスポイト（抽出）できます。

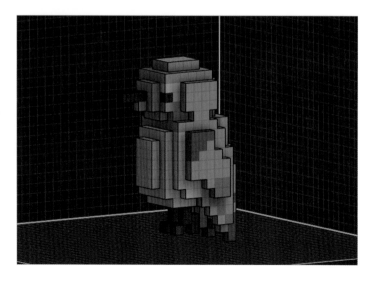

3 枝に厚みを付けて モデリング

メインの鳥のモデルがある程度でき
たので、他のモデルも作っていきま
す。鳥と同様の手順で最初に作った
シルエットから枝の部分をコピーし
て別オブジェクトとして貼り付けま
す。枝は左右対称にしないので、
【Mirror】モードの【Y】のチェックは
外しましょう。モデルサイズを適当
に広げた後、形を作っていきます。
ブラシだけでなく【BoxSelect】で選
択した後、「Ctrl」（mac：「command」）
キーを押しながらドラッグ＆ドロッ
プで選択したボクセルを移動できる
ので、これも活用すると効率よく形
を作ることができます。

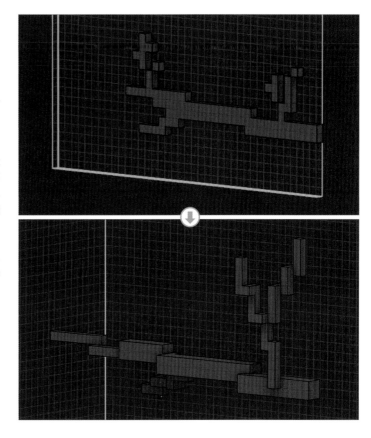

4 鳥と枝の位置を 合わせる

【World】エディタに切り替え、先程
作った鳥の位置と合わせます。枝に
も色を塗ります。作業しているモデ
ルが他のモデルで見づらい場合は
【Brush】パネル下部の【BG】をクリッ
クすることで、作業しているオブ
ジェクト以外の表示・非表示を切り
替えることができます。

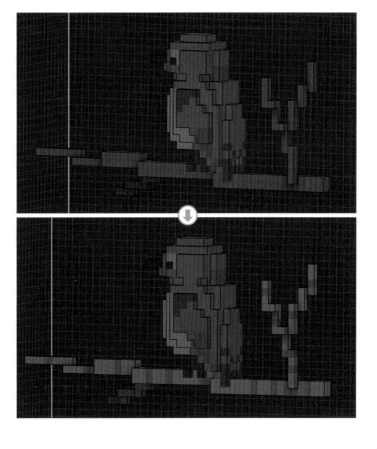

一番見せたい鳥のモデルの大きさを
基準にして、他のモデルを作り込み
ます。今回は桜も作りたいので、桜
の花やつぼみを枝に付けます。作っ
た枝をコピー&ペーストし、立体的
になるように配置します。

一度、【Render】モードでレンダリン
グをして背景のパラメーターと解像
度を調整します。レンダリング中のメ
イン画面をクリックすると、クリック
したボクセルに焦点が合い、それ以
外はボケます。今回、【Light】パネル
の【SKY】にある項目を【Atmospheric
Scattering】❶にします。これは実
際の大気を模したレンダリングで
す。ここでは地面を描画する必要は
ないので【Light】パネル下部の【GD
(DisplayGround)】❷をクリックし
て地面を非表示にします。

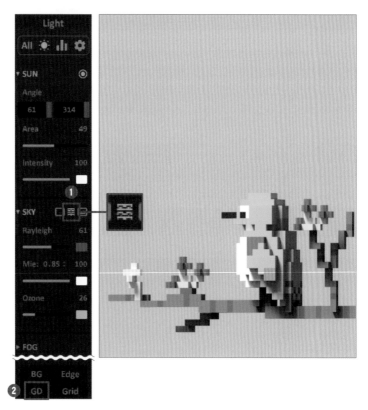

STEP 02 　背景パーツのモデリング

背景になる枝と花を作ります。メインの出来に合わせてはじめのベースでは想定していなかったモデルを
追加で作成してもいいと思います。この時点でカメラ位置や動かすパーツなどのイメージを固めていきま
しょう。

1 　枝と花を増やす

【Model】モードに戻ります。STEP
01で作った枝をコピー＆ペーストし、
立体的に配置します。

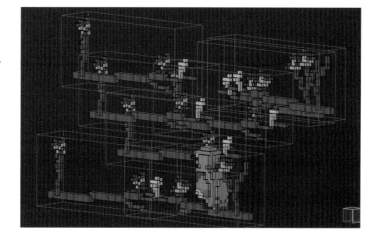

先ほどレンダリングをしてみたら、
左上の空間が寂しく感じたので、追
加で大きめの花を作ります。この大
きめの花をコピー＆ペーストし、花
房にしました。

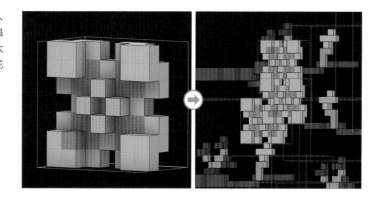

配置した花房に合うように、枝も作
ります。

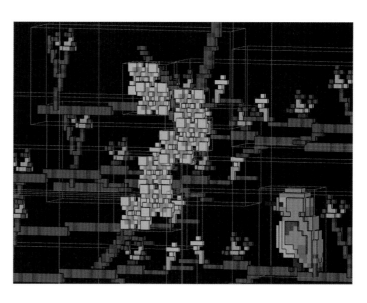

もう一度レンダリングをし、枝や花の配置を整えます。このとき「7」キーでカメラの位置を保存し、「8」キーで保存したカメラ位置をロードすることができるので、カメラ位置を保存しておくと調整の際に便利です。 保存できるスロットはテンキー（NUMPAD）で変更する事ができます。例えば、カメラ位置の保存をスロットが「0」の時にした場合、呼び出す際スロットが「0」の状態でないと同じ位置でロードができません。

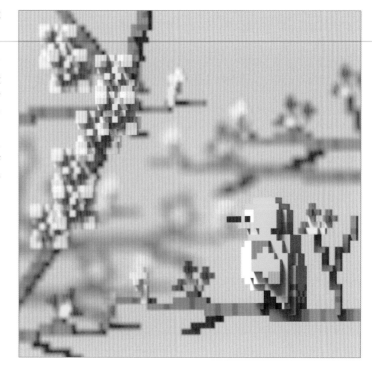

POINT

カメラ位置の保存

3D画面下部の数字はカメラ位置のスロットを示しています。テンキー（NUMPAD）で切り替える事ができ、最大10箇所のカメラ位置が保存できます。キーボード上部の数字キーとは異なりますので注意しましょう。

テンキーでスロットの数字を変更することができる

2 背景パーツとなる
　　枝①を作る

【Model】モードに戻り、手前の枝を作り込みます。

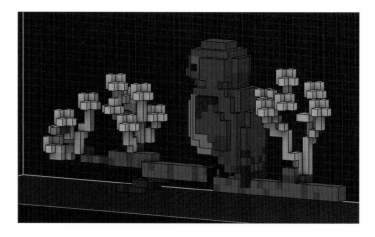

背景が自然になるよう、背景用の枝を作ります。そしてその枝に花をつけます。房をひとつ作り、コピー＆ペーストしたものを【Edit】パネルの【Rot】や【Flip】で回転して配置すると、自然に花の量を増やせます。【Rot】は「RotateObjects」のことでXYZ軸に対して矢印方向に時計回りで90度ずつ回転します。【Flip】は「FlipObject」のことでXYZ軸に対して左右反転します。どちらも非範囲選択時はモデルサイズの中心、範囲選択時は選択範囲の中心を基準に回転・反転します。こうして作成した枝と花を枝①とします。

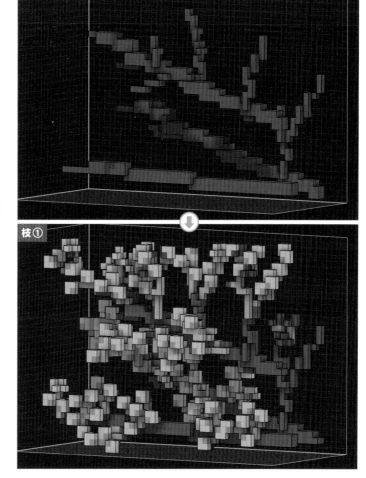

枝①

3 背景パーツとなる 枝②を作る

同様に、背景用の枝をもう1種類作ります。

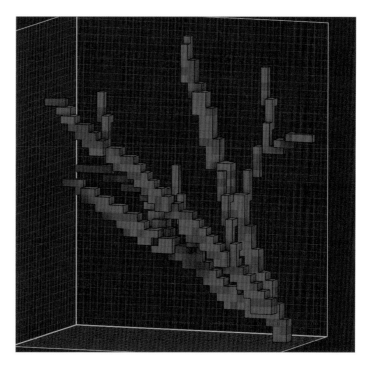

同じように花も付けていきます。これを枝②とします。

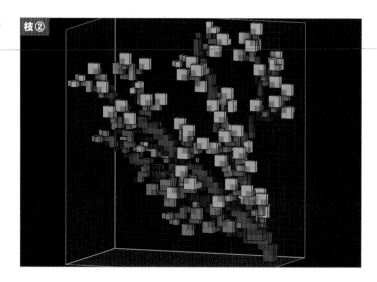

枝を配置する前に、STEP02-1で保存したカメラの位置を読み込んで、同じ視点になるようにしておきましょう。

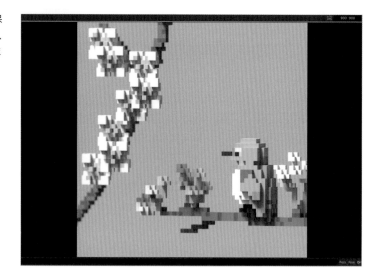

4 枝①と枝②を組み合わせる

枝を配置する際は、パーツごとにレイヤーで分けておくと配置しやすいでしょう。【World】エディタから移動したいオブジェクトを選択し、【World】パネルの【LAYER】欄右端の【＜】マークでレイヤーを移動させることができます。STEP01で作成したメインのパーツを「front」、「eda1」、「eda2」としてレイヤーを分けました。レイヤー名のボックスをクリックすることで操作するレイヤーを変更できます。レイヤー名の左の丸ボタンをクリックすることで表示、非表示を切り替えることができます。

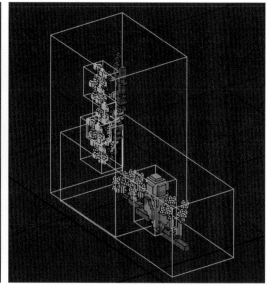

メインのパーツであるフロントと枝
①のレイヤーを表示した状態です。

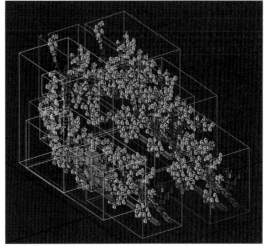

上記のパーツに加えて枝②のレイ
ヤーも表示した状態です。

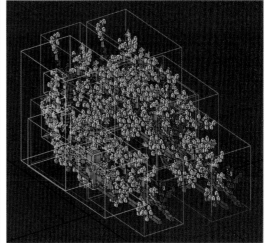

5 花のマテリアル設定を してレンダリング

【Render】モードで大きめの花と小
さめの花のマテリアルを設定しま
す。花なので色を残しつつ透けてほ
しいが、ガラスのような反射はして
ほしくないので、【Matter】パネル
の【MATERIAL】から【Glass】をこ
のように設定します。

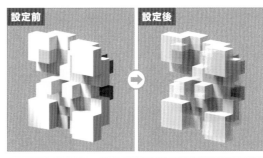

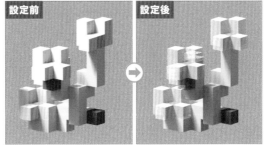

レンダー設定などを調整し、1枚絵を完成させましょう。レンダー設定とカメラ位置は少しの違いでも出力された画像が変わってしまうので、連続した動きを表現するGIFにした際に違和感が出てしまいます。基本的にはこれ以降、数値をいじらないほうがいいです。カメラの位置は「7」のセーブと「8」のロードを間違えて上書きしてしまうと、同じカメラ位置を探すのは難しいので複数のスロットに同じカメラ位置を保存しておくといいでしょう。

STEP 03 アニメーションのための動きを作る

今回はサクラの花びらが舞う動きとトリが振り向く動きのふたつのアニメーションの組み合わせです。1部分が動くだけでも静止画より大きな印象を与えられて楽しいので、はじめて作成する場合は光の点滅や等速度運動など、シンプルなアニメーションから始めるといいと思います。

1 落ちる花びらの軌道を描く

【Model】エディタに戻り、GIFで動かすモデルを作っていきます。今回は花びらを舞わせたいので、花びらの軌道を厚さ1ボクセルのモデルで下書きします。要領としてはSTEP 01-1で行なったベースの作り方と同様です。視点を【Orth】にして側面からの図にします。白いラインが下書きとなる軌道です❶。その下書きに沿って花びらの断面を書きます❷。

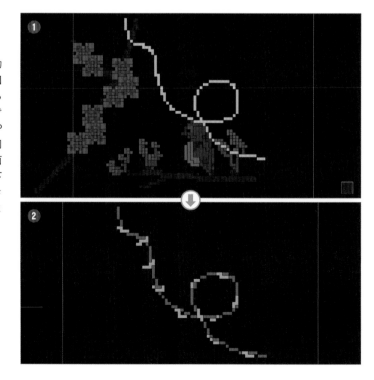

2 落ちる花びらの モデリング

断面を書いた花びらモデルの厚さを【Brush】パネルの【F】で増やします。花びら1枚ずつを作り込み【Paint】で色を塗ります。花びらの間隔を狭くするとGIFにした際、舞うスピードが遅く、間隔を広くすると速く見えるので、意識しながら【Move】ツールなどで調整すると良いでしょう。

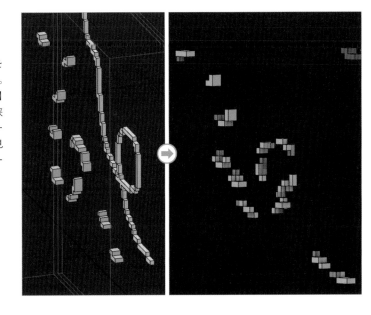

3 落ちる花びらを 組み合わせて調整

カメラに入る位置に移動し、花びらが鳥の頭の上で回転するように調整します。【Model】エディタの【BG】機能で表示・非表示を切り替えながらコマをレンダリングするので連続した花びらを個別のモデルにします。STEP01-2のように花びら1枚を選択後、コピーし「TAB」キーで【World】エディタに切り替えた後、貼り付けます。個別のオブジェクトになった花びらは「TAB」キーで【Model】エディタに再度切り替え、【Tool】パネルの【Fit】でモデルのサイズを合わせます。【Fit】の際、花びらの座標がずれるため、もう一度「TAB」キーで【World】エディタに切り替えた後、花びらの位置を調整します。同じ手順ですべての花びらを作成した後、落ちる花びらとしてまとめたレイヤーを作るといいでしょう。

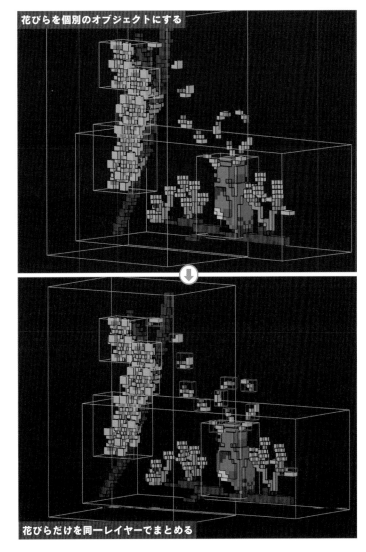

花びらを個別のオブジェクトにする

花びらだけを同一レイヤーでまとめる

鳥の首も動かしたいので、花びらを
作った流れと同じようにコピーを複
数作成し、選択ツールなどで差分を
作ります。少しずつ首を回している
差分モデルを3つ作ります。差分①で
は首を少し前に出し、差分②と③で
首を回して正面の方に向くという動
きにします。

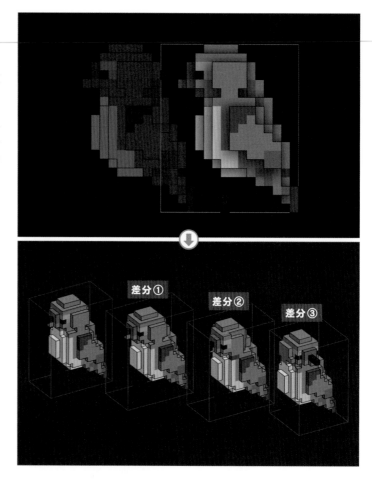

コピーして差分を作った鳥モデルを
重ねます。GIF作成時には連続して
表示されるため差分で変更していな
い足を基準にモデルを重ねておくと
ズレないです。

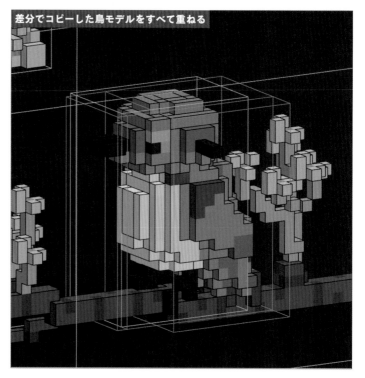

差分でコピーした鳥モデルをすべて重ねる

5 画像として出力する準備

GIFのための画像を作成していきます。GIF作成時はどのパーツを何ボクセル動かすかメモしておくといいでしょう。今回は下記のような動きの流れを作りたいと思います。これを1枚ずつレンダリングし、保存していきます。レンダリング画像は【Render】モードの【Image】パネル、【Show Image Settings】❶ で解像度を設定し❷、【Render】ボタン❸を押すと保存できます。保存する際は01、02、03……というようにファイル名を連番にしてフォルダに保存すると、後のGIF作成時に楽です。

動きの流れ

1 手前の枝が下に1ボクセル動く

2 大きめな花房を下から1ボクセル動かす

3 3つ目の花房まで動かしたら鳥の首を前に出す（鳥差分①）

4 花房が揺れ終わったら落下する花びらの1枚目を表示

5 落下する花びらを数枚表示させたら鳥を振り向かせる（鳥差分②③）

6 花びらを全部表示させ終わったら鳥を最初の状態に戻す

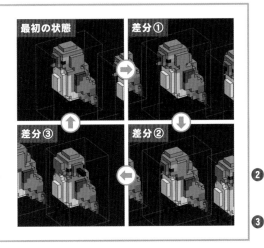

6 一コマづつ出力していく

花房を揺らします。モデルを複数選択する際は、「Shift」キーを押しながらクリックで複数選択することができます。選択を解除したい場合は、モデルがなにもない空間でクリックをするか、選択しているモデルに「Shift」+「Alt」（mac:「option」）キーを押しながらクリックで選択解除できます。

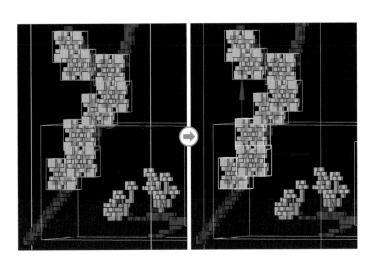

花房の揺れが上まで伝わったら落ちる花びらの1枚目以外を【BG】機能で非表示にします。1枚目の花びらだけを表示し、レンダリング画像を保存したら、同様に2枚目以降もレンダリング画像を保存します。

今回、鳥差分を表示する際に残像を再現したいため、ひとつ前のポーズを重ねて表示した画像もレンダリングし、保存します。 残像のコマはGIF制作時に表示時間を短くするので、残像のコマのときは花びらを動かさないようにします。

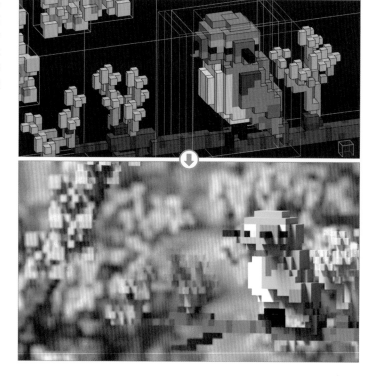

花びらを舞わし、鳥のポーズを戻すまでの画像をレンダリングし保存します。今回は31枚の画像ができました。

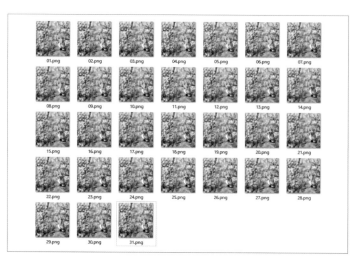

MagicaVoxelではGIFとして出力できる機能はないので、作った画像はGIF制作ソフトで連続した動きとなるアニメーションにします。複数の画像を取り込んでGIFと出力できればソフトは何でもいいですが、各画像の表示時間などが調整できるものを使うと便利に作成することができます。

1 GIF制作ソフトを起動する

GIF制作ソフトを起動します。ここでは「Giam」というフリーソフトを例として説明しますが、複数の画像を取り込み、GIFとして出力できればソフトはなんでもいいでしょう。

「Giam」
作者：古溝 剛
URL：http://furumizo.net/tsu/

GIFにしたい画像を順番に「Giam」にドラッグアンドドロップします。今回は01〜31まで表示させたい順番で保存したので、31枚を全選択し、一括でドラッグ&ドロップします。

POINT

Gif作成ソフトについて

ここではWindowsのソフトを例として紹介していますが、macでもフリーで使えるGIF作成ソフトはあるので、連続した画像を揃えればGIFを作ってみることは可能です。

「PicGIF Mac」 作者：PearlMountain
URL：https://www.pearlmountainsoft.com/

2 GIF制作ソフトを 設定し出力する

右上の三角のボタンをクリックすると動画再生ウインドウが表示されます。この動画再生ウインドウを見ながらコマのウェイトを微調整します。

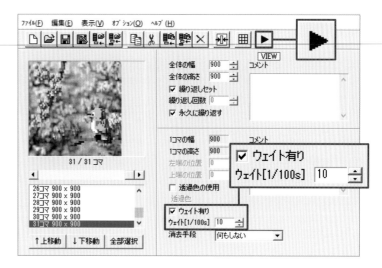

残像のコマのウェイトを通常の半分の「5」に設定します。ウェイトを変更すると動画の中でそのコマが表示される秒数が変わります。

鳥が振り向いたポーズで一旦止まってほしいのでウェイトを50にします。

最後のコマのウェイトを100にして
1ループの時間を長くします。

左から4番目のボタンを押すと、保
存先を指定して保存することができ
ます。任意の場所を指定しましょう。
その後出てくる「Gif書き込みオプ
ション」はデフォルト状態でOKを押
します。GIFアニメーションができ
あがりました。

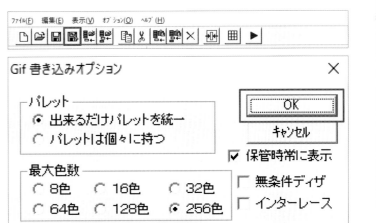

完 成

アクアリウムを題材にして 光・ガラス・水の質感を表現する

カラフルな魚たちと珊瑚が揺らめく鮮やかな色彩のアクアリウムの制作を通して、光やガラス、水など透明な質感をボクセルアートでどう作っていくか見ていきましょう。

解説	.goka
URL	https://pixel-voxel-diary.tumblr.com/
Twitter	@un_tako
Instagram	@dotgoka

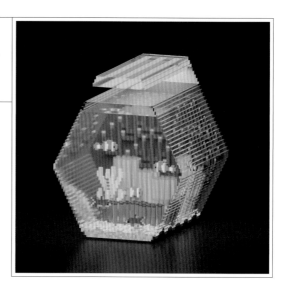

今回の作品について

この作品は自分の「aquarium」シリーズ（P11参照）のひとつです。元々、光と水の表現の練習として始めました。このシリーズは各々テーマカラーがありまして、本作は「黄色」「熱帯魚」です。MagicaVoxelは簡単に透明感を表現できるツールなので、その楽しさに触れてみてください！

ボクセルアートの魅力とは

日常にありふれたものもボクセルにするとかわいらしく整う感じがとても好きです。シンプルな形なのに一人ひとり異なる造形になるのもおもしろいですね。思いついたらすぐ形を作ってアウトプットできるとっつきやすさも魅力的です。

STEP 01　カラーパレットを用意しよう

私の作り方は色を大まかに決め、形を作り込み、レンダリングを繰り返しながら色をさらに修正していきます。初めにパレットを一から作るのは手間かもしれませんが、MagicaVoxelは一度設定した色と各ボクセル色が連動するので後で修正も簡単です。ぜひ気負わずにやっていきましょう！

1 作品に使う色を用意する

【Palette】パネルの「3」を押し、セルが黒一色のパレットにします。わかりやすくするため、どこに使う色かある程度目星を付けておきます（本来は作りながら色を決めていく方が簡単ですが、今回は最初にカラーパレットを準備しておきます）。

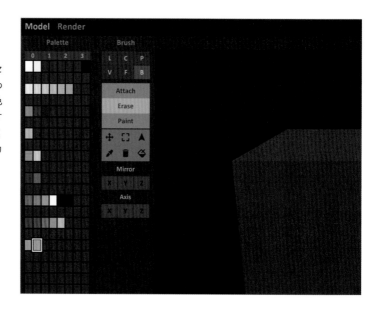

それぞれのセルをクリックで選択
し、【Color】タブのRGBに数値を入
力してパレットを作ります。以降の
STEPではRGB値を記載しますので
参考にしてください。

・1段目……… 水槽・水
・3段目……… 砂
・5段目……… 珊瑚（紫）
・7段目……… 珊瑚（白）
・9段目……… 珊瑚（橙）
・11段目…… 珊瑚（青）
・13段目…… カクレクマノミ
・15段目…… キンギョハナダイ
・17段目…… 照明

赤い矢印で示しているセルの色はグ
ラデーション機能で作ります。始点
となる色を選択して、「Alt」＋「Shift」
キーを同時に押しつつ終点の色まで
ドラッグするとグラデーションが作
れます（mac：「option」＋「Shift」
キー）。ここで作成したパレットデー
タはダウンロードデータとして参照
することもできるので、確認してみ
てください。【Palette】パネル部分
を右クリックし、フォルダのアイコ
ン（【Load Palette】）からパレット
のpngファイルを読み込むことがで
きます。

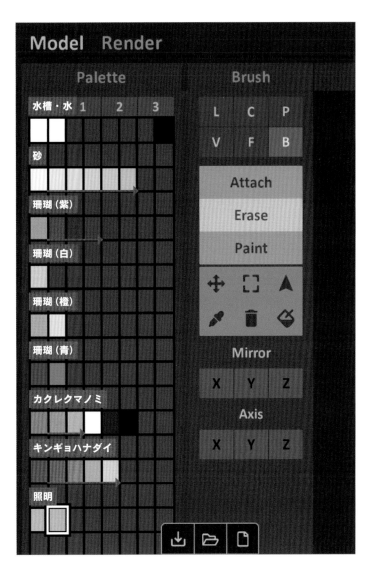

STEP 02　水槽を作ろう

ここからはモデルを作っていきます。今回は六角形の水槽に水を入れていきますが、このSTEP02で用い
るモデリング機能を上手く使えば、瓶やお椀など薄肉の物体も簡単に作れるようになるはずです。

1　モデリングのための準備

【Model】エディタから右上の【Resize
Model】窓に「80 80 80」と入力し
モデルサイズを変更します。

モデリングをしやすくする準備をします。【Brush】パネル下部の【Grid】❶をクリックすると、1ボクセル毎のグリッドが表示されます。続いて、【Frame】❷をクリックすると10ボクセル毎に太い罫線が表示されます。このふたつを最初に表示しておくと、モデリング中のサイズ感がわかりやすくなるためおすすめです。

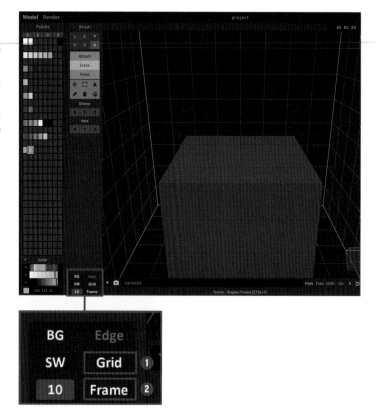

ビューを操作しやすく整えます。アイソメトリックビューで表示するため、画面右下の【Orth】❸をクリックします。続けて、立方体マーク【Toggle View Cube】❹をクリックすると、ビューキューブを表示/非表示にする切り替えができます。視点の回転はビューキューブ内をドラッグして動かす他、マウスの右ボタンのドラッグでも変更できます。ビューキューブの辺や面をクリックすると、それらから平行な角度に視点が移動します。また、左隣にある、3つの正方形が階段状に積まれたアイコン【Camera Ruler】❺をクリックすると、ビューの角度が数値で表示されます。この数値の表示部をドラッグすると5°刻みで角度変更ができるため便利です。また、「space」キーを押しながら画面内をドラッグするとビューをパンでき、右下矢印のアイコン【Recenter Camera】❻でモデルが中央に位置するようビューをリセットできます。

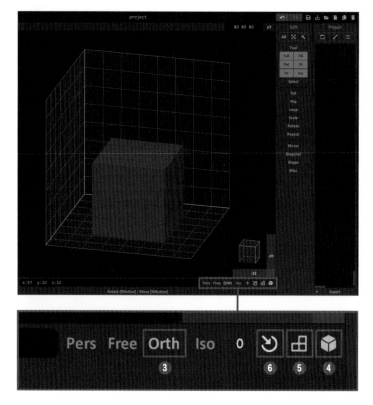

2 水槽の外枠を作る

水槽のモデリングを始めます。ビューキューブの正面をクリックして正面ビューにし、最初からある立方体を消去します。【Brush】パネルから【Mirror】の【X】【Z】をオンにし、X・Z軸対称を使えるようにします❶。パレットから「index：249」を選択し、【L】の配置モード【Attach】❷で画像のように線を引きます。早速難しそうですが、マウスオーバー時に【Console】に座標が表示されるので「x：19 y：80 z：0」から「x：0 y：79 z：39」❸までドラッグしましょう。

index:249

255 255 255

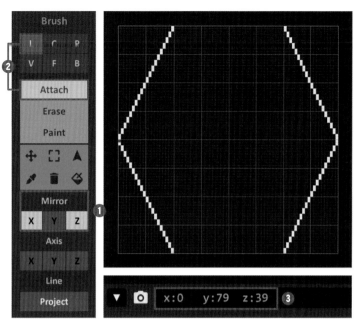

次に立体にします。【F】のモードを【Attach】にしてさきほど引いた線の内側を1回だけクリックして六角形を描きます❹。そして少しビューを回転させて、作成した六角形から手前側に引くようにドラッグすると、水槽の形となる六角柱が完成します❺。

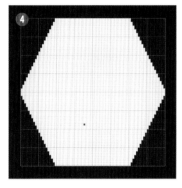

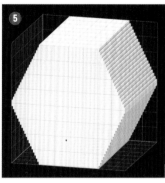

水槽を空にしていきます。【Edit】パネルの【Misc】から【Hull】❻を押すと、外側1ボクセル分を残し中身を空っぽにできます。見た目には変わりませんが、先程のX・Z軸対称をオフにしてから【F】ブラシの除去モード【Erase】❼で上面を1回クリックして、中身が空になっていることを確認しましょう。

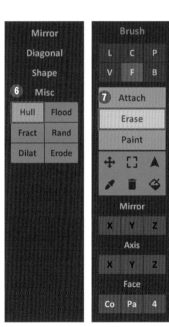

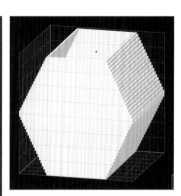

最後に水を入れます。底面が少しでも見えるビューにしてパレットから「index：250」を選択します。【F】の配置モード【Attach】を使っていきますが、【Face】の【Co】を1回クリックして【Ge】❽にしてから進めてください（【Co】は色によって面を判別し、【Ge】は形によって面を判別するモードで、使い分けられると非常に便利です）。この状態で底面をクリックし続け、マウスオーバー時の【Console】に表示される座標のz軸が「72」となるまで続けましょう❾。ドラッグした場合、水面が水槽の形にぴったりと収まってくれないので注意しましょう❿。こうして水槽に水を張ることができたら、【World】エディタに切り替えます。

index:250

246 250 255

モデルサイズを変更したので地面にめり込んでしまったところを直します。モデルを選択して、【Edit】パネルの【Move】から【Ground】⓫を押すと、自動的にモデルが接地されます⓬。

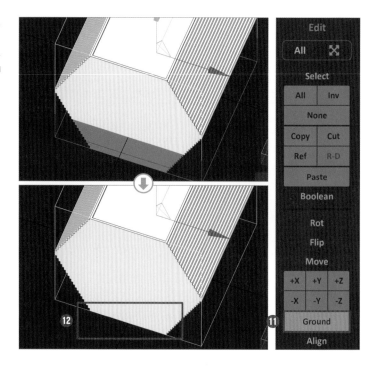

3 レイヤーの準備

他モデルのモデリングを始める前に
レイヤーの準備を少しだけ行ないま
す。【World】パネルの【LAYER】の
右にある鉛筆アイコンをクリックす
るとレイヤー名が編集可能になりま
すので、上から順にレイヤー名「tank」
「sand」「coral」「fish」「light」と変
更しましょう。変更したら、先程作
成した水槽のモデルを選択します
(【Model】エディタから切り替えた
時、他のモデルを選択していなけれ
ば直前に編集していたモデルが選択
されているため、再選択はしないで
大丈夫です)。水槽のモデルを選択
している状態でレイヤー名「tank」
の右横の四角をクリックしてレイ
ヤーを変えます ❶。色の付いた丸印
をクリックするとレイヤー毎に表示・
非表示ができるため、後でモデルが
増えてきたときに迷いにくくなって
便利です。

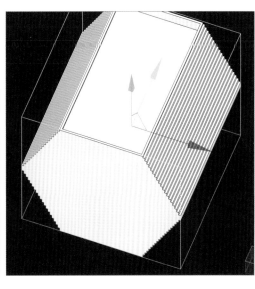

STEP 03　水槽に砂を入れよう

ここでは凸凹した形の砂を作ります。STEP03では残したい部分だけ着色でマスクするやり方やランダム
コマンドを使った彩色など、意外と応用が利くものが多いです。自然な形に整える部分では感覚的な説明
に近くなってしまいましたが、作例と完璧に同じものを目指すのではなく大まかな目安と捉えて楽しんで
作りましょう。

1 水槽の形に合わせて
　砂のベースを作る

次は砂を入れていきます。ここまで
で作った水槽をコピー&ペーストし
複製します。複製したら、それを
【sand】のレイヤーに変えておきま
しょう。

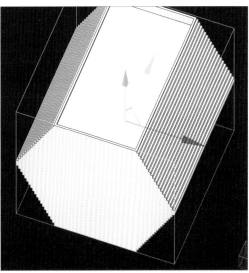

複製した水槽を選択した状態で、再び【Model】エディタに切り替えます。ゴミ箱アイコン（【Remove Voxel Color】）❶で水槽の外壁をクリックすると水槽の部分だけが除去されて水の部分だけが残り、これが砂のモデルのベースになります❷。水槽が重なって見づらいので【Brush】パネル下部の【BG】をオフにしておきます。

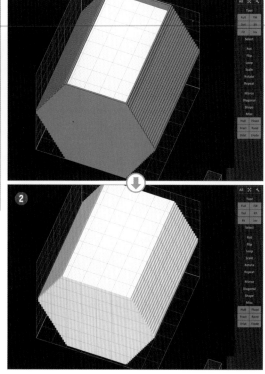

2 砂の形を作っていく

ベースを削って砂の形を作っていきます。【Brush】パネルから【Mirror】の【X】をオンにし、X軸対称を使えるようにします。任意の濃い色のセルを選択し、【B】の着色モード【Paint】で残したい部分をマスクするようにドラッグで色をつけます❶。これもドラッグ中は【Console】に座標が表示されるので「x：40 y：1 z：1」から「x：65 y：1 z：13」までドラッグしましょう。次に【F】の除去モード【Erase】を選択、【Face】は【Ge】から【Co】に戻して❷、六角形の上の白い部分をクリックし正面から奥の方へドラッグして除去します。

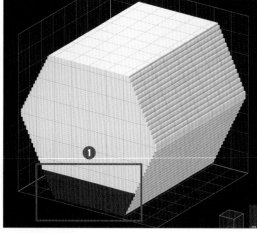

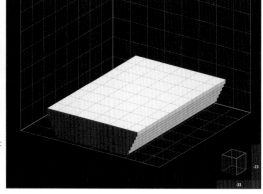

自然な砂の形を目指します。【V】ブ
ラシの【Voxel】で【Sphere】【3D】【20】
に設定し、除去モード【Erase】によ
り上から万遍なく削ります。この時、
ビューキューブの上面をクリックし
て見下ろすビューにしつつ【Mirror】
の【X】【Y】をオンにし、X・Y軸対称
を使います。画像の6カ所をクリッ
クすると、X・Y軸対称が反映されて
24カ所の凹みができます。自然な砂
の形を作りたいだけですので、クリッ
クする位置は大体でOKです。

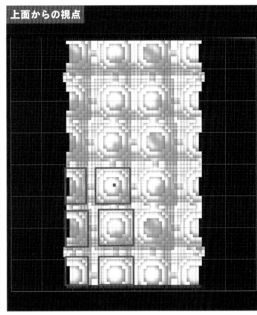

次にブラシサイズを小さくして仕上
げをしましょう。【Voxel】項目を
【Sphere】【3D】【10】に設定し、同
じく除去モード【Erase】で中央付近
の尖っている部分を削ります。画像
の6カ所をクリックすると、X・Y軸
対称が反映され15カ所の凹みができ
ます。これももちろんクリックする
位置は大体でOKで、横から見ると8
ボクセル前後の高さになっていれば
十分です。

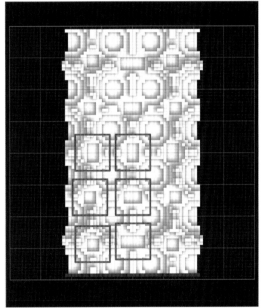
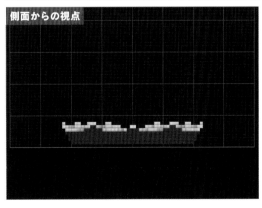

アクアリウムを題材にして光・ガラス・水の質感を表現する

3 砂にランダムな色を付ける

【Console】にコマンドを入力し、砂を仕上げていきます。【Palette】のセルにカーソルを合わせると、【Console】に【index：数字】と表示されるのでSTEP01で設定した砂の色が「index：233」～「index：238」にあることを確認してください❶。コマンド【rand 233 238】を入力❷してEnterを押すとindex：233 から238の間のセル色でモデルがランダムに彩色されます❸。砂が完成したら、【World】エディタに戻ります。

これは「ランダムコマンド」という方法でP124からの「上級編PART1」で詳しく説明されています。

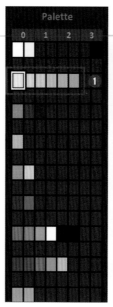

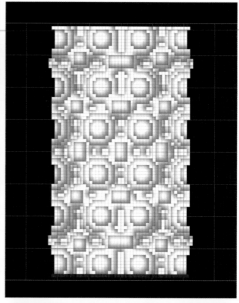

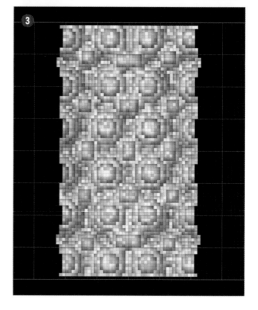

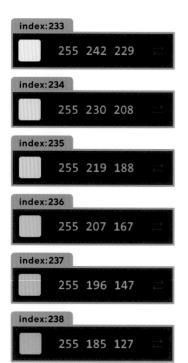

この後「STEP06 照明を取り付けよう」までの間は水槽が重なっていると操作しづらいので、水槽のモデルを選択した状態で緑色の矢印をドラッグして砂のモデルに全く重ならない奥の方まで移動させておきます。

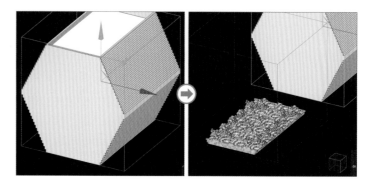

水槽を彩る、色とりどりの珊瑚を4種類ほど作ります。このSTEP 04では【Pattern】を使っていきます。枝や雲など一見複雑な形状でも楽に作れるようになるので、ぜひ体験してみてください。

1 珊瑚（紫）の素材パーツを作る

「＋」アイコン（【New Object】）で新しいモデルを用意し、【LAYER】を【coral】に変更してから【Model】エディタに切り替えます。今度はビューキューブの正面をクリックして正面のビューにしましょう。また、細かい作業をするため少しズームしておきます。

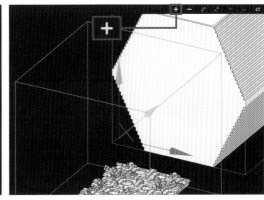

珊瑚（紫）の枝の素材を作ります。【Brush】パネルの【Mirror】から【X】【Y】をクリックしてX・Y軸ともオフにします。【B】の配置モード【Attach】で画像のような枝の素材を作ります。色は「index：217〜220」のものを使います。色を間違えて配置してしまったら、着色モード【Paint】で色を変えましょう。

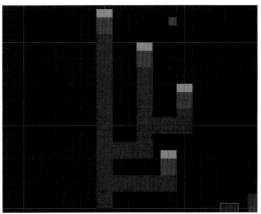

珊瑚らしく枝分かれを作ります。【P】の配置モード【Attach】にし、ボクセルを全選択をしてから【Pattern】項目の右下にある破線でできた正方形【Create Pattern from Selection】❶をクリックします。これで作成した枝をパターンブラシのように複製しながら配置できるようになりました。

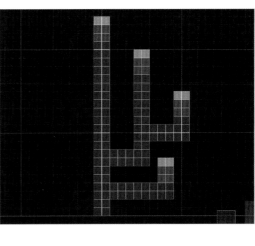

2 珊瑚の素材パーツを複製していく

元のモデルを一旦消去し、X軸対称をオンにします。以下、手順を示します。【Console】の以下の座標で1回ずつクリックすると画像のようになります。

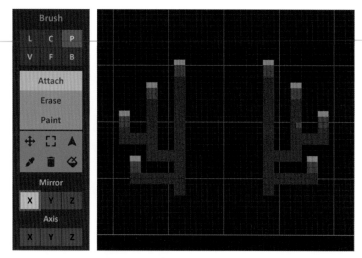

珊瑚が完成したら【World】エディタに戻ります。珊瑚が砂よりも沈んでしまったので、【Edit】パネルから【Move】の【＋Z】❶を5回クリックして上方向に移動させましょう❷。また、後で水槽とも重なってしまうため、【Move】の【－Y】を3回クリックして前方向にも移動させておきます❸。

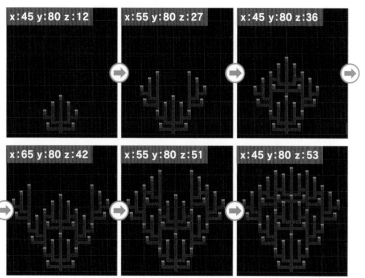

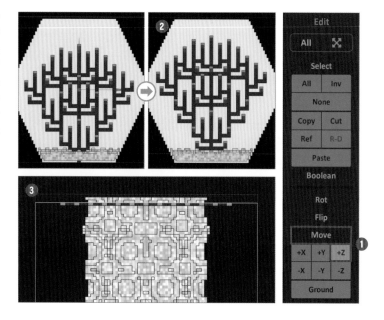

3 珊瑚（白）を作っていく

「＋」アイコン（【New Object】）で新しいモデルを用意し、【coral】のレイヤーに変えて【Model】エディタに入ります。

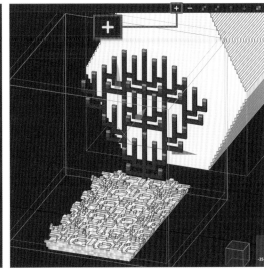

珊瑚（白）の枝の素材を作ります。先程使った X軸対称はそのままにします。正面ビューで画像のセルを選択し【B】の配置モード【Attach】を使い、「index：201」で画像のような枝の素材を作ります。【F】の配置モード【Attach】で1回クリックし厚みを出しておきます❶。全選択かつコピー＆ペーストをして、同じく十字矢印アイコン（【Move】）で12ボクセルほど上方向に移動させます❷。十字矢印アイコン（【Move】）で20ボクセルほど前方向に移動させます❸。

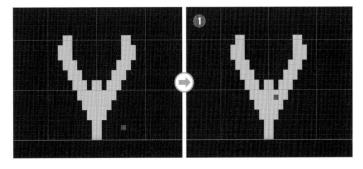

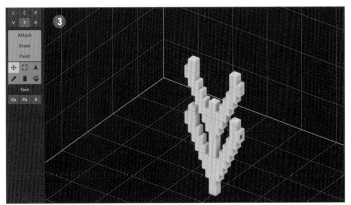

再び全選択かつコピー＆ペーストを
して、選択状態のまま【Edit】パネル
から【Rot】の【Z】で90度回転させ
ます④。最後に【Tool】の【Fit】⑤で
モデルサイズを作成した珊瑚（白）の
大きさにフィットさせます。

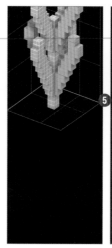

珊瑚（白）が完成したため【World】
エディタに戻ります。珊瑚（白）も浮
いてしまっているので、選択し多状
態で【Edit】パネルから【Move】の
【Ground】をクリックして接地させ
ます。

上面から見下ろすビューにし、モデ
ル選択時に表示される矢印をドラッ
グして画像の通りに配置します。矢
印と矢印をつないでいる斜め線⑥を
ドラッグすると平面的に移動ができ
るので簡単です。

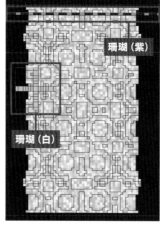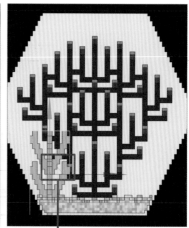

4 珊瑚(橙)を作っていく

「＋」アイコン(【New Object】)で新しいモデルを用意し、【coral】のレイヤーに変えて【Model】エディタに切り替えます。モデルサイズは「16 16 16」にしておきます。

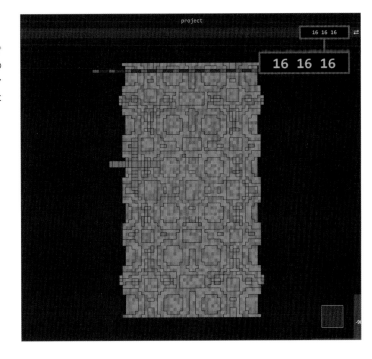

珊瑚(橙)を作ります。上面ビューにしてパレットの「index：186」を選択し、【Edit】パネルから【Tool】の【Full】をクリックしてモデル全体を塗りつぶします❶。続いて「index：185」を選択し、X・Y軸対称を使い【B】の着色モード【Paint】で画像のような模様を作ります❷。続いて【F】の除去モード【Erase】で色が薄い方のボクセルを下方向に押し下げる❸ように一番下までドラッグすると、柱状の珊瑚(橙)が完成です❹。【World】エディタに戻ります。

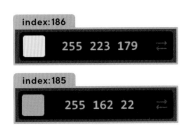

index:186

255 223 179

index:185

255 162 22

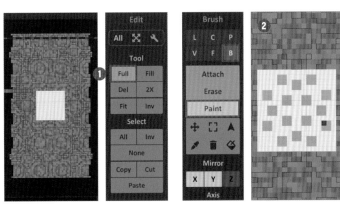

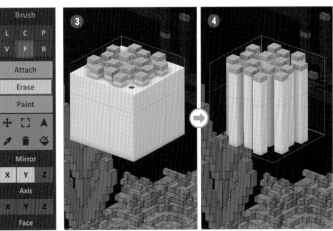

できあがった橙の珊瑚モデルは
【Edit】パネルから【Move】の【Ground】
をクリックして接地させます。モデ
ルのコピー＆ペーストを2回行ない、
モデル選択時に表示される矢印をド
ラッグして上面ビューの画像の通り
に3つのモデルを配置します❺。側
面ビューにして配置した3つの橙の
珊瑚モデルを同時に選択して、コ
ピー＆ペーストを1回行ない、複製
元のモデルと1ボクセルだけ重なる
ように上方向に移動させます❻。上
段両脇のふたつのモデルを選択し、
【Edit】パネルから【Move】の【-Z】
を4回、同じく【+Y】を2回クリック
して配置します❼。

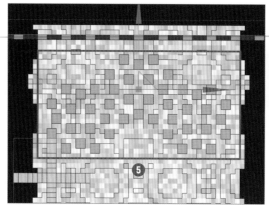

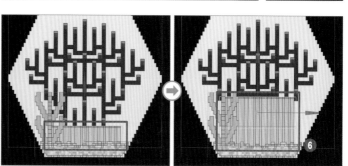

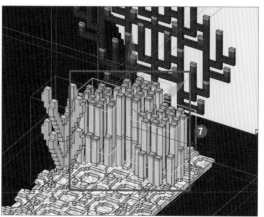

次に、下段の3つのモデルを選択し
コピー＆ペーストを行ない、矢印を
ドラッグして珊瑚（白）よりも前に位
置するように移動させます。

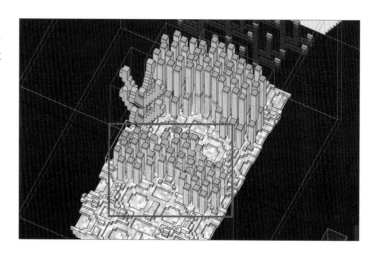

5 改変して 珊瑚（青）を作る

前に移動させた珊瑚モデルを選択状態のまま、【Edit】パネルから【Boolean】の【Union】❶で結合させひとつのモデルにします。【Model】エディタに切り替え、傾いたバケツのアイコンの【Replace Voxel Color】をクリックします❷。「index：169」のセルを選択❸し、変更したい色のボクセル（ここでは濃い橙）をクリックすると、同じ色のボクセルが選択中の濃い青のセルの色に置き換わります❹。

index:169
97 51 224

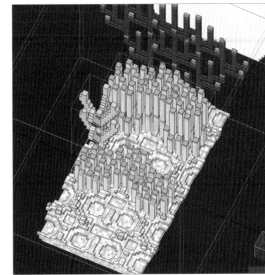

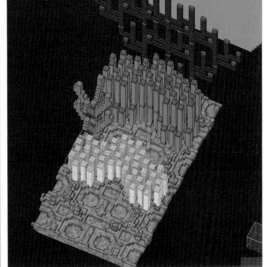
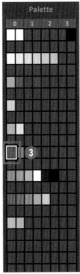
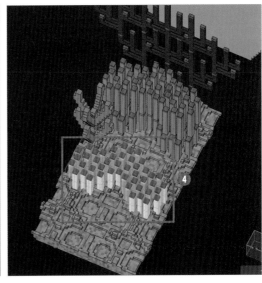

同様にして薄い青のセルを選択し、薄い橙のボクセルをクリックして色を置き換えたら珊瑚（青）は完成です❺。【World】エディタに戻ります。結合するとレイヤーが変わってしまう場合があるため、珊瑚（青）のモデルを【coral】レイヤーに変えておきます❻。

index:170

117 129 218

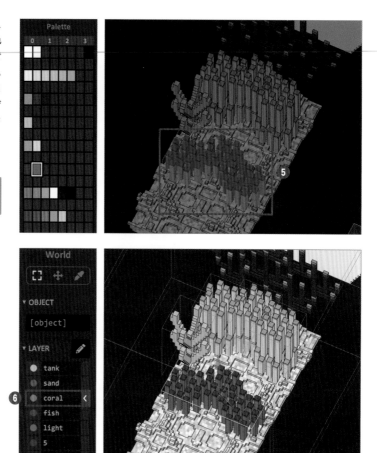

STEP 05　魚のモデルを作ろう

アクアリウムの主役、魚たちを作ります。ドット絵のように特徴をデフォルメしつつシンプルな造形を意識して、かわいいカクレクマノミと華やかなキンギョハナダイを登場させてみました。ここでも作例どおりではなく、のびのびと魚たちを泳がせるように配置しましょう。

**1 カクレクマノミの
モデルを作る**

「＋」アイコン（【New Object】）で新しいモデルを用意し、【fish】のレイヤーに変えて【Model】エディタに切り替えます。

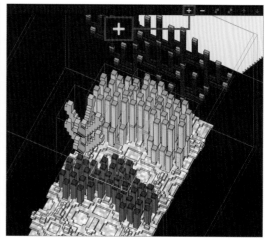

【Model】エディタから、正面ビューにして少しズームします。【B】の配置モード【Attach】で画像のようなカクレクマノミを作ります。ベースとなる形を配置してから、着色モード【Paint】で色を変えましょう。胸ビレもつけておきます。

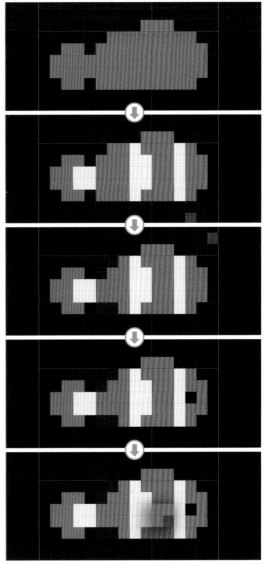

次にコピー＆ペーストで複製して、【Edit】パネルから【Flip】の【Y】を1回クリックしてY軸方向に反転させます。

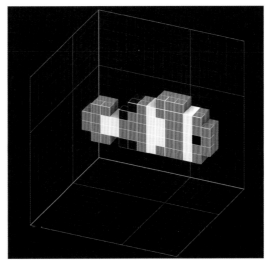

その後【Loop】の【＋Y】を1回クリックして対称的な形にし❶、【Tool】の【Fit】❷でモデルをフィットさせます。

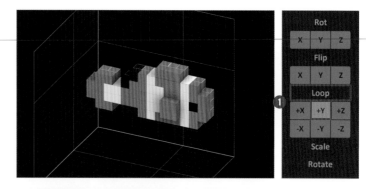

【World】エディタに戻り、カクレクマノミのモデルをコピー＆ペーストで複製してそれぞれ画像のように配置を行ないます❸。正面ビューにすると背後に水槽が見えるので、クマノミが水槽から飛び出さないよう注意してください。もう一度同じ手順で複製し、珊瑚の中に潜んでいるクマノミも配置しましょう❹。

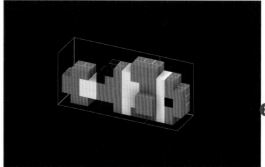

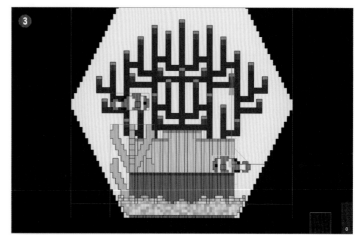

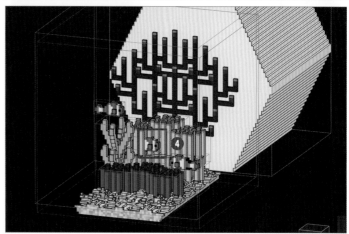

2 キンギョハナダイのモデルを作る

「＋」アイコン（【New Object】）で新しいモデルを用意し、【fish】のレイヤーに変えて【Model】エディタに切り替えます。こちらもカクレクマノミとほぼ同じ手順で作りますので、おさらい感覚でやってみましょう。【Model】エディタに切り替え、正面ビューにして少しズームします。【B】ブラシの配置モード【Attach】で画像のようなキンギョハナダイを作ります。こちらもベースとなる形を作り、着色モード【Paint】で色を変えましょう。胸ビレもつけておきます。

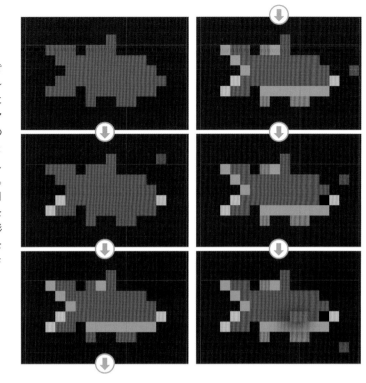

次の手順もSTEP05-1と同様にコピー＆ペーストで複製して、【Edit】パネルから【Flip】の【Y】を1回クリックしてY軸方向に反転させます。その後【Loop】の【＋Y】を1回クリックして対称的な形にし、【Tool】の【Fit】でモデルをフィットさせます。【World】エディタに戻り、キンギョハナダイのモデルをコピー＆ペーストで複製してそれぞれ画像のように配置を行ないます。こちらも水槽から外に出ないよう気をつけつつ、自由に泳がせてみてください。

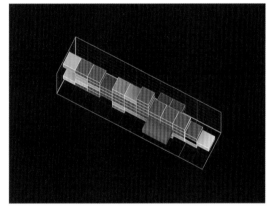

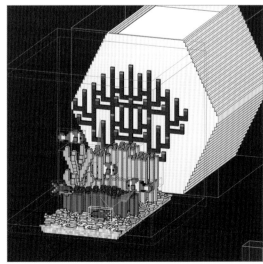

水槽を明るく照らす照明を取り付けます。六角形の水槽に合わせて幾何学形状の照明を作ってみました。
モデリングの締めくくりですが、ここを乗り越えたらついにレンダリングです！

1　照明のモデルの
　　ベースを作る

照明を作るために、緑の矢印をドラッグしてこれまで奥に移動させていた水槽を元の位置に戻します。水槽と砂のモデル双方のワイヤーフレームが完全に重なるところまで移動させましょう。

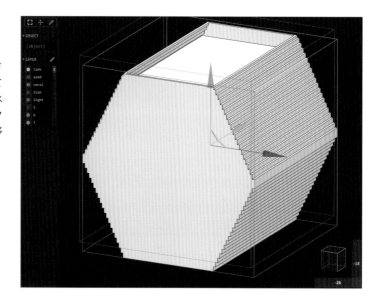

水槽のモデルを選択しコピー＆ペーストで複製したら、【light】のレイヤーに変えます。青い矢印をドラッグして、複製した水槽のモデルの底面が元の水槽の上端と接するように移動させます❶。【Model】エディタに切り替え、水槽のモデルを消去❷します。

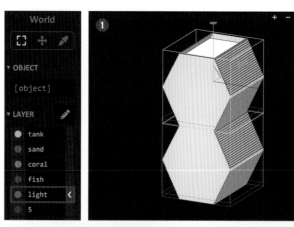

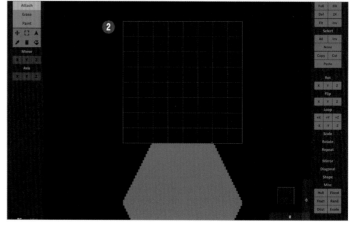

水槽に合った照明の形を作っていきます。正面ビューにし、【Brush】パネルから【Mirror】の【X】をオンにし、X軸対称を使います。「index：121」を選択し、【L】の配置モード【Attach】で画像の通り線を引きます❸。【Console】に表示される座標で【x:19 y:80 z:0】から【x:26 y:80 z:14】までドラッグしましょう。次に今引いた線の頂点をつなぐような線を引き❹、【F】の配置モード【Attach】で面を作ります❺。

index:121

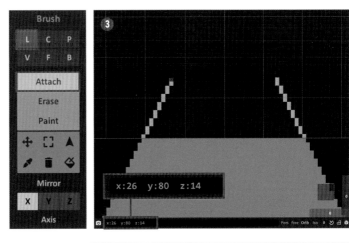

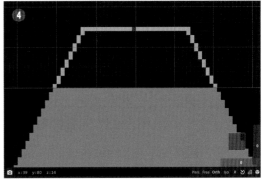

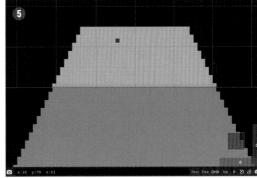

照明の天面の部分を作っていきます。画像のように「x:24 y:79 z:9」から「x:39 y:79 z:9」までの線を引きます。

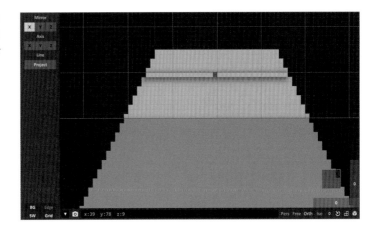

【F】の配置モード【Attach】で再び面を作ります❻。続いてこの面を奥から手前に引っ張るように押し出し、画像のような形を作ります❼。

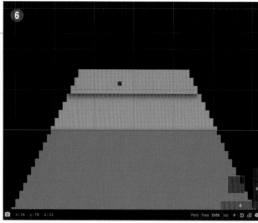

2 照明が発光する部分を作る

最後に照明の発光部分を3列作ります。底面ビューにし、【B】ブラシの着色モード【Paint】にします❶。「index 122」を選択し、画像のように「x：40 y：2 z：9」から「x：41 y：76 z：9」までドラッグします❷。続いて画像のように「x：47 y：2 z：9」から「x：50 y：76 z：9」までドラッグしたら❸、【World】モードに戻ります。これで照明が完成し、モデリング編は終了です。お疲れさまでした。

index:122

242 191 23

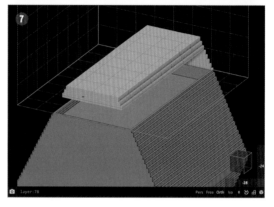

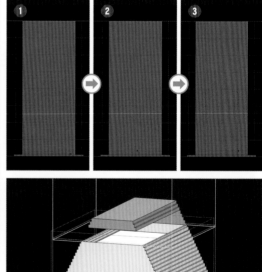

ここからはレンダリング編で、STEP 07ではその環境を整えていきます。中でも【SAMPLE】はレンダリングの描画ルールのような項目で、例えば【Pixelated】は映り込みをドット絵風に描画できたりします。解説でも出てきますが透明物を扱う時は【TR-Shadow】を忘れずにチェックしましょう。

1 光源の設定

【Render】モードに入り、左から2番目の【Light】パネルから【All】ですべての設定項目を表示させます。

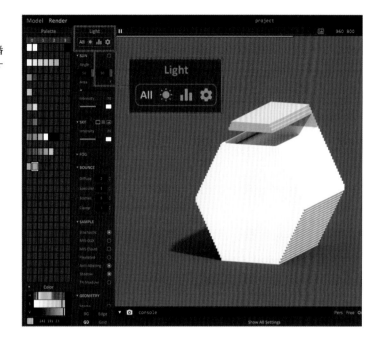

光源の設定をします。【Light】パネルから【SUN】の【Angle】の左を「50」、右を「0」、【Area】を「100」、【Intensity】を「80」にします❶。

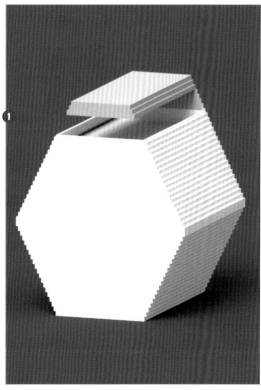

2 天球の設定

空（天球）の設定をします。【Sky】の【Intensity】を「70」にし、【Intensity】の右横にある四角をクリックして出現したメニューの右上3本線マークをクリックして【RGB】に「60 50 40」と入力して空の色を変更します。

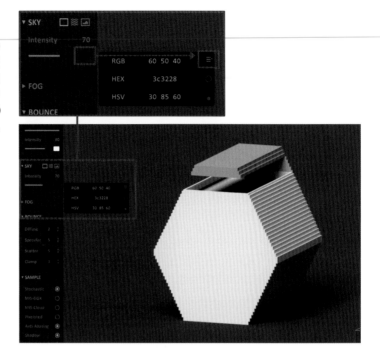

【BOUNCE】の拡散度【Diffuse】を「8」、反射度【Specular】を「8」に設定します❶。数字が大きいほどレンダリングに時間がかかりますが美しいレンダリングが得られます。散乱度【Scatter】は「5」、【Clamp】は「3」のままでOKです。【SAMPLE】は【Stochastic】、【Anti-Aliasing】、【Shadow】、【TR-Shadow】にチェックを入れましょう❷。

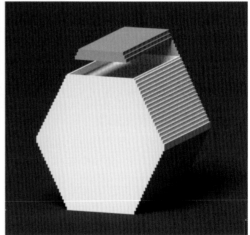

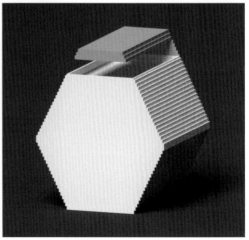

スクロールして【GROUND】の右横にある四角をクリックしてメニューを出し、右上の3本線マークをクリックして【RGB】に「60 50 40」と入力して地面の色を変更します。変更したらパネル下部の【GD】のみオンの状態で床が表示されていることを確認しましょう。

STEP 08　モデルのマテリアルを設定しよう

マテリアル設定は制作中に一番悩むところであり、一番楽しいところでもあります。今作はテーマである透き通ったガラス・水だけでなく、色とりどりの珊瑚にどのような光が差し込めばふさわしいかを考えて作ってみました。思い描いていたアクアリウムに段々と近づいていくところは感激の瞬間です。

1　水槽のマテリアル設定

ここからそれぞれのセルにマテリアルを設定し、いよいよアクアリウムを仕上げていきます。【Palette】で水槽のセル「index：249」を選択し、右から2番目の【Matter】パネルの【MATERIAL】の中から【Glass】をクリックします。【Glass】の値を「96」にし、【Refraction】を「1.15」、【Roughness】を「10」、【Attenuation】を「0」に設定します。

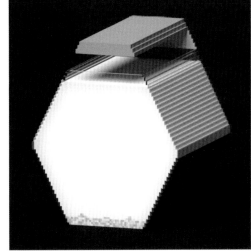

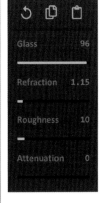

【Palette】で水のセル「index：250」を選択し、【MATERIAL】の【Glass】の値を「98」にし、【Refraction】を「1.30」、【Roughness】を「10」、【Attenuation】を「0」に設定します。

【Palette】で「index：185」の濃い橙のセルを選択し、【MATERIAL】の【Glass】の値を「75」にし、【Refraction】を「1.40」、【Roughness】を「10」、【Attenuation】を「50」に設定します。続いて「index：186」の薄い橙のセルも同様の設定をします。マテリアル設定も複製ができますので、ファイルコピーのアイコン【Copy Material】で「index：185」のセルのマテリアル設定をコピーします❶。次に「index：186」のセルを選択してクリップボードのアイコン【Paste Material】をクリックし❷、同じ設定をペーストしてください。

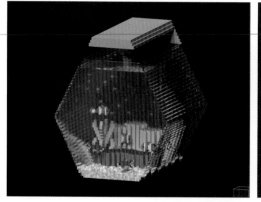

マテリアルの設定がコピー＆ペーストできる

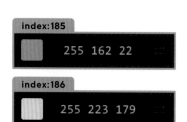

index:185
255 162 22

index:186
255 223 179

【Palette】で「index：169」の濃い青のセルを選択し、【MATERIAL】の【Glass】の値を「60」にし、【Refraction】を「1.40」、【Roughness】を「10」、【Attenuation】を「50」に設定し、その設定をコピーします❸。続いて「index：170」の画像の薄い青のセルを選択し、上記と同じ手順でマテリアル設定をペーストします❹。

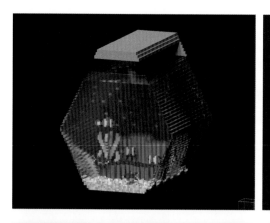

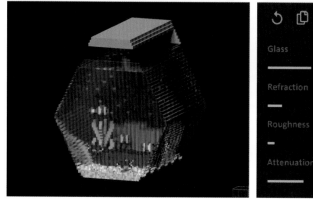

index:169
97 51 224

index:170
117 129 218

3 照明のマテリアル設定

【Palette】で「index：121」のセルを選択し、【MATERIAL】の【Glass】の値を「75」にし、【Refraction】を「1.50」、【Roughness】を「10」、【Attenuation】を「0」に設定します。

index:121

207 183 255

【Palette】で「index：122」のセルを選択し、【MATERIAL】の【Emission】の値を「70」にし、【Power】を「3」、【Ldr】を「55」に設定します。

index:122

242 191 23

4 床にマテリアル設定をして微調整

モデル以外の床部分を「Alt」キー（mac：「option」キー）を押しながらクリックすると、床にマテリアルを設定できます。クリックした状態で、【MATERIAL】パネルの【Metal】をクリックして鏡面のような床にしてみましょう。【Metal】の値を「50」、【Specular】を「50」、【Roughness】は「50」に設定します。

魚の位置などに微調整を加えます。
【Model】画面の【World】エディタ
に戻り、調整の間だけ【tank】レイ
ヤーを非表示にしておきます❶。上
下に動きを出したいので左右のクマ
ノミを持ち上げてみました。他に左
奥上段の珊瑚（橙）も複製し、【Edit】
パネルから【Move】の【＋Z】を10
回クリックして高さを出してみまし
た❷。また、珊瑚がわずかに水槽の
外にはみ出してしまっているので、
【coral】レイヤー以外を非表示にし
て珊瑚のみ全選択し、【Edit】パネル
から【Move】の【＋Z】を2回クリッ
クして底上げします。最後に忘れず
に全レイヤーを表示するようにしま
しょう。

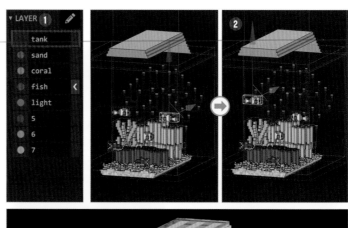

STEP 09　画像として書き出す

ここまで来たらあとはじっくりレンダリング結果を待つだけです。どうしても待ちきれない場合は【Matter】
パネルの【FILM】の露光【Exposure】やヴィネット【Vignette】をいじって雰囲気が変わるのを試してみて
もいいかもしれません。レンダリング中にも設定できる項目なので気軽にやってみてください。

1 サイズと解像度を設定する

【Render】モードに戻り、画面の書
き出しサイズを設定します。画像ア
イコンの横にある【Image Size】に
【2000 2000】と入力します。グラフ
アイコンの横にある【Samples Per
Pixel】には【1500】と入力します。
これで書き出しサイズが「2000px
× 2000pxの正方形」になり、より
精細な画像がレンダリングできま
す。

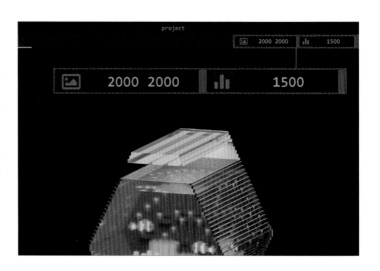

2 レンダリングして 出力する

【Render】モードではリアルタイム
でレンダリングが開始され、画面上
部の青いバーが右端に達したらレン
ダリング完了のサインです。この
バーの進行中に画面をクリックした
り設定変更をするとレンダリングが
左端から再スタートとなってしまう
ため、ビューの位置や角度の設定が
固まったらしばらくの間放置して完
了を待ちましょう。ちなみに作例の
ビューの角度は「水平方向: −20」「鉛
直方向: −10」です。

レンダリングが完了したら、画面左
下のカメラアイコン【Save Image】
をクリックしてpng形式で画像を保存
できます。デフォルトではMagicaVoxel
内の「Export」フォルダに書き出さ
れるため、好みの場所に保存しま
しょう。以上で完成です！ お疲れ
さまでした！

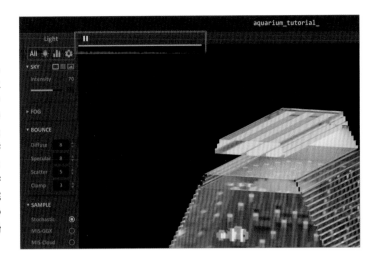

完成

ボクセルアート
上級編

最後にやや難易度の高い作例を紹介します。このパートで解説
するのは木々の葉の細かい配色や古い看板についたサビや汚れ
などをボクセルアートで表現する方法です。シンプルな形状で
できあがっているボクセルアートですが、こうしたディテール部
分にこだわってみると精巧なミニチュアのような雰囲気に仕上
がり、味が出ます。デフォルメされた部分とリアルな部分のバ
ランスにこだわってみて、オリジナルのボクセルアートを作って
みてください！

ランダムコマンドを使った細かい配色と煙の質感を表現する

ここではランダムコマンドや煙のレンダリング機能を主に紹介します。こうしたテクニックを組み合わせると、ボクセルアートでありながらリアルな表現の作品が可能です。

解説	ハードン
Twitter	@HardBone01
Instagram	@hardbone01

今回の作品について

この作品ではリアルな雰囲気の木造の家や白樺の木を作成します。リアルな作品を作る場合は、写真などの資料を参考にしながら質感や形を観察して作成すると完成度が上がります。木は種類によって幹の形や枝の生え方が違うので意識してみると良いです。

ボクセルアートの魅力とは

ボクセルアートではボクセルを積み上げるだけで、思い描いたものを形にすることができます。ボクセルならではの直線的な形を活かした作品はもちろん、リアルな作品まで作れてしまうのです。ボクセルアートは創作意欲溢れる人の最初の一歩を手助けしてくれるでしょう。

STEP 01　モデリングの準備をしよう

まずは、なにを作るか、そのためにどのような色が必要かを考えます。今回は木造の家や白樺の木を作るので、茶色、緑、白のような色が必要です。実際に色を作成してみましょう。

1　モデルの色を作る

モデルに使用する色を作ります。【Palette】パネルの3番を選択して、色を作成します。【Palette】パネルの色には左下から1から順に番号が振り当てられており、それぞれの色にカーソルを合わせるとコンソールに「index：1」のように番号が表示されます。

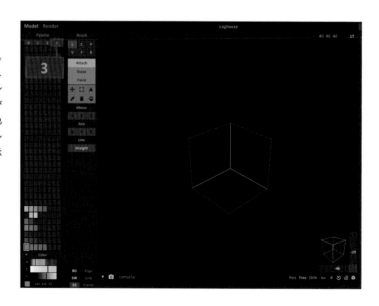

作成したカラーパレット

後の作業で色の配置が重要になるので、パレットの色は図の位置の通りに作成してください。解説で出てくる「index」の数字が右の表に対応しています。

ここで作成したパレットデータはダウンロードデータとして参照することもできるので、確認してみてください。【Palette】パネル部分を右クリックし、フォルダのアイコン(【Load Palette】)からパレットのpngファイルを読み込むことができます。

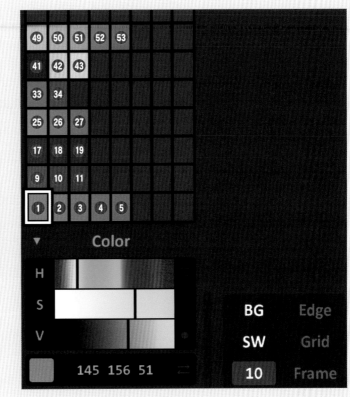

2 格子線を表示する

今回のモデリングでは細かい単位のボクセルを扱います。このような作業をする場合には、モデルに格子状の線を表示すると便利です。【Brush】パネル下部の【Grid】をクリックして格子線を表示します。

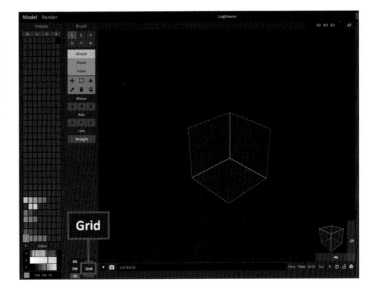

家の土台とその下の草地を作成していきます。土台をベースに家を作成していくので、配置や大きさには気を付けて作成しましょう。

1 草地を作成する

家を建てる草地を作ります。モデルのサイズを「85 85 1」に変更し❶、【Palette】パネルの「index:1」の色を選択した状態で【Edit】パネルの欄にある【Shape】の【Cyli】をクリックします❷。【Cyli】ではモデルの枠いっぱいに円柱を作成することができます。

index:1
133 145 74

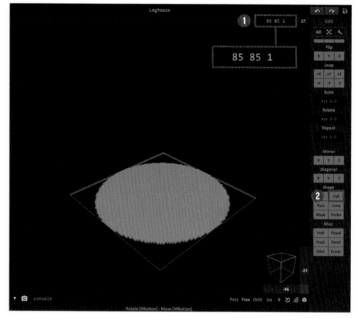

2 家の基礎を作成する

草地の上に家の土台となる基礎部分を作ります。モデルのサイズを「85 85 85」に変更します。次に「index:25」の色を選択して図の位置に「X:3 Y:3 Z:6」の直方体を3つ、「X:39 Y:35 Z:6」直方体をひとつ作成します。まず直方体の1段目を【Brush】パネルの【B】ボックスブラシで作成して、その上に【F】フェイスブラシを使用してボクセルを積み上げていくとやりやすいです。

index:25
150 150 150

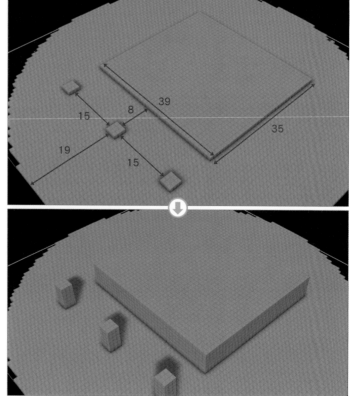

③ 床下の換気口を作成する

【Brush】パネルの欄にある【Attach】を【Erase】に変更してボクセルを削除することで換気口を作ります。図の位置のボクセルを削除します。ボクセルの削除ができたら【Erase】を【Paint】に変更して削除したところの内側を「index：41」の色で塗ります。裏側も同様に換気口を作成します。【Brush】パネルの欄にある【Mirror】の【X】を選択した状態で作業するとやりやすいです。【Mirror】ツールでは選択した軸の方向（ここではX軸）に対称なモデリングができます。

index：41

68 70 75

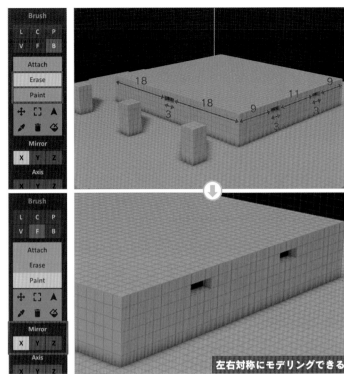

左右対称にモデリングできる

④ 床板を作成する

土台の上に床板を作成します。「index：9」の色を選択して土台の上に「X：41 Y：48 Z：1」の直方体を配置します。土台から外側に1ボクセル分だけはみ出すように配置してください。配置できたら、次はその上に一回り大きい「X：43 Y：50 Z：1」の立方体を配置します。

index：9

120 111 100

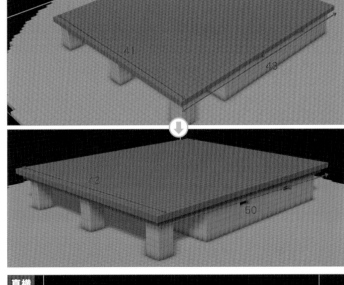

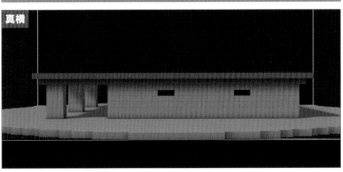

真横

5 床板の模様を表現する

床板に色を塗って模様を表現します。「index：17」の色を選択して先ほど制作した床板に2ボクセルおきに線を引いていきます。【Brush】パネルにある【Axis】ツールの【X】を選択した状態で作業するとやりやすいです。【Axis】ツールでは選択した軸の方向に一直線にモデリングができます。

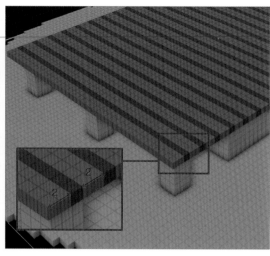

STEP 03 家をモデリングしよう

STEP 02で作成した土台の上に家を作成していきます。柱を建てて、柱に沿って壁を作ることで家の大まかな形を作成しましょう。

1 柱を作成する

土台の上に家の柱を作成します。「index：9」の色を選択して図の位置に「X：2 Y：2 Z：24」の直方体を6個作成します。この時、【Mirror】ツールの【X】と【Axis】ツールの【X】の選択は解除してから作業するように注意してください。

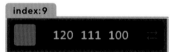

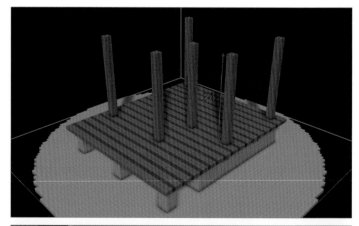

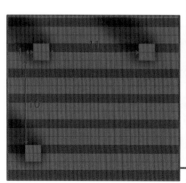

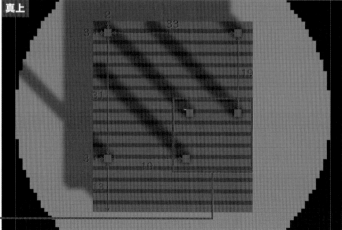

真上

2 壁を作成する

柱が完成したら、次は家の壁を作ります。柱と同じ色で柱の1ボクセル内側に、柱の高さと同じになるようにボクセルを敷き詰めていきます。今回は内装までは制作しないので、家の内側も埋めてしまいます。L字になっている部分❶は少し形が違うので注意してください。

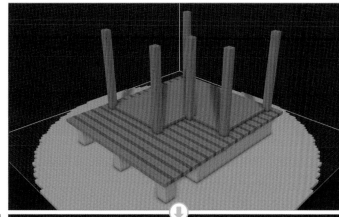

真上

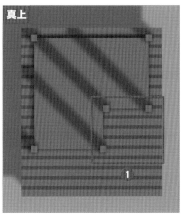

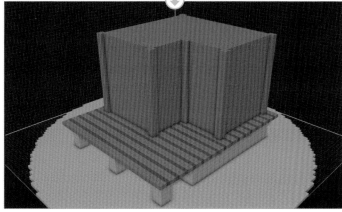

3 扉を作成する

柱と柱の間に図のような「X：11 Y：1 Z：2」の直方体を作成し、その下にドアの取っ手となる「X：1 Y：1 Z：3」の直方体を作成します。ドアの形ができたら「index：17」の色で2ボクセルおきに縦の線を塗ります。

index：17

95 86 73

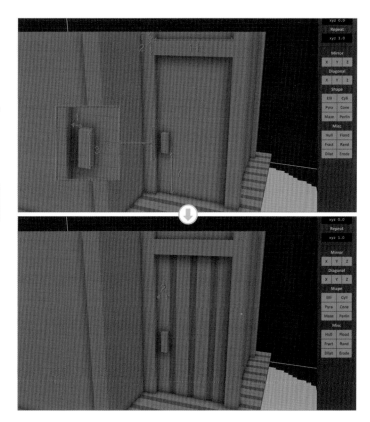

4 屋根を作成する

次は家の屋根を作成します。先ほど
作成した家の上に、図のような一段
が幅2ボクセル、高さ1ボクセルの
階段状になるように屋根を作成しま
す。屋根は正面を床板と同じところ
まで、背面は床板から1ボクセル分
だけ外側まで延長してください。

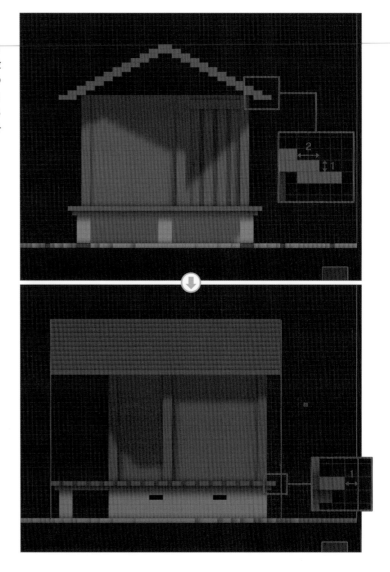

5 屋根と家の隙間を
埋める

屋根が完成したら、屋根と家の隙間
を埋めていきます。【F】フェイスブ
ラシを使って一段ずつ積み上げてい
くようにすると作業しやすいです。
図のように柱と壁がぴったり屋根に
くっついていることを確認してくだ
さい。

6 壁の模様を表現する

壁に色を塗って模様を表現します。「index：17」の色を選択して、壁に図のような2ボクセルおきの横線を引いていきます。柱の部分には色を塗らないように注意してください。

index:17

95 86 73

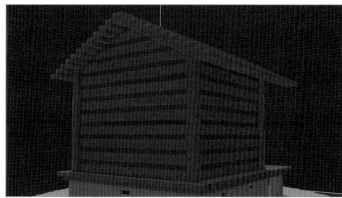

7 屋根の模様を表現する

次は屋根に色を塗って模様を表現します。壁の模様を塗ったときと同じ色を使います。カメラを【Orth】に変更して❶視点を家の真上に移動します。【Brush】パネルにある【L】ラインブラシを選択して❷、同じ欄にある【Line】ツールの【Straight】をクリックし【Project】❸に変更します。選択ができたら図のように端を1ボクセルあけてから5ボクセルおきに線を引いていきます❹。【Line】ツールの【Project】を使うとモデルの表面に直線を引くことができます。【Mirror】ツールの【X】を選択した状態で作業するとやりやすいです。

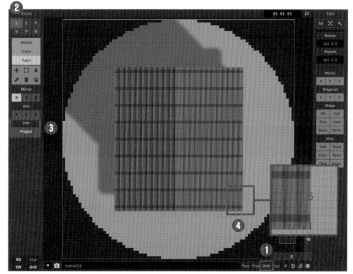

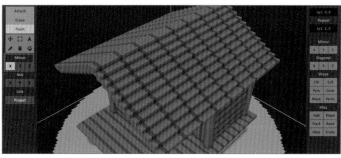

家の壁に窓や煙突を取り付けたり、柱を制作して細かな装飾をしていきます。STEP 03で大まかな家の形は完成しているので、このSTEPでは解説を基に自由に装飾しましょう。

1　窓を作成する

家の大まかな形ができたら細かい装飾を作っていきます。家の正面の壁に「X：7　Y：1　Z：11」の窓枠を作成し、下の辺に「X：5 Y：1 Z：1」の直方体を取り付けます。窓枠が完成したら「index：9」「index：33」「index：34」の3色を使って内側に図のように色を塗りガラスの部分を表現します。

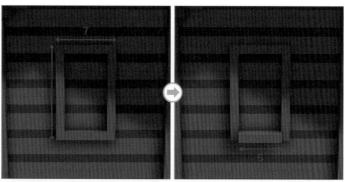

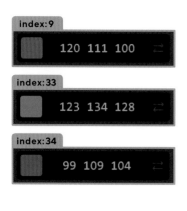

index：9

120　111　100

index：33

123　134　128

index：34

99　109　104

2　小窓を作成する

次は小窓を作成します。家の左側の壁に「X：1 Y：10 Z：4」の窓枠を作成します。窓枠が完成したら「index：33」「index：34」の2色を使って窓枠内を図のように色を塗り、ガラスの部分を表現します。

index：33

123　134　128

index：34

99　109　104

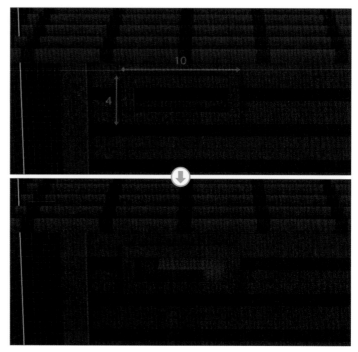

3 窓を増やす

先ほど作った窓と小窓をコピーして
家の壁に自由に配置していきます。
後ろの壁には後で煙突を作成するの
で、煙突を配置する部分には窓を作
らないように注意してください。

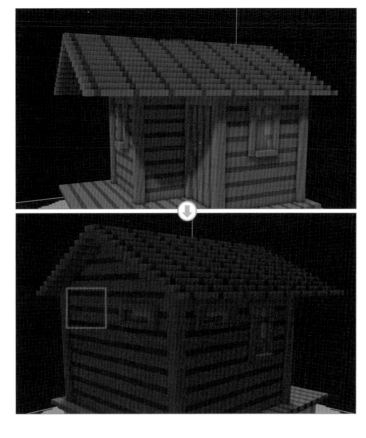

4 扉に小窓を作成する

扉にも小窓を作成します。STEP04-
1と同じように窓枠を作成し、内側
に色を塗ることでガラスを表現しま
す。枠の大きさは「X:9 Y:1 Z:4」
です。

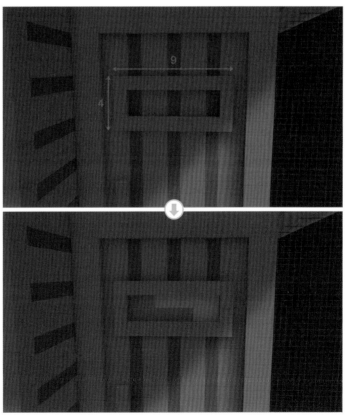

5 屋根の裏側の骨組みを作成する

屋根の裏側に骨組みを作成します。【L】ラインブラシの【Attach】を選択して❶、【Line】ツールの【Project】をクリックして【Straight】❷に変更します。選択できたら、屋根の模様を塗った場所の裏に屋根に沿うようにボクセルを配置していきます。このとき端を1ボクセル分だけ開けるように注意してください。【Mirror】ツールの【X】❸を選択した状態で作業するとやりやすいです。

6 柱を作成する

せり出した屋根の下に柱を作成します。床の上ににボクセルを配置して屋根のところまで延長していきます。

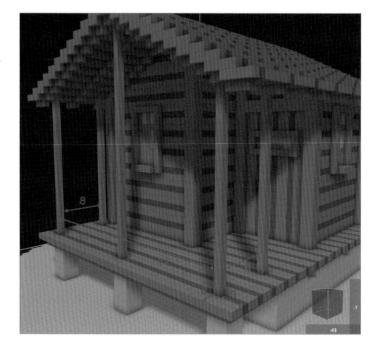

7 手すりを作成する

先ほど作成した柱の間に手すりを作成します。図の位置にボクセルを配置して柱と柱の間をつなげます。屋根と柱の間にも配置してください。このとき左側の柱と家も繋げてください。

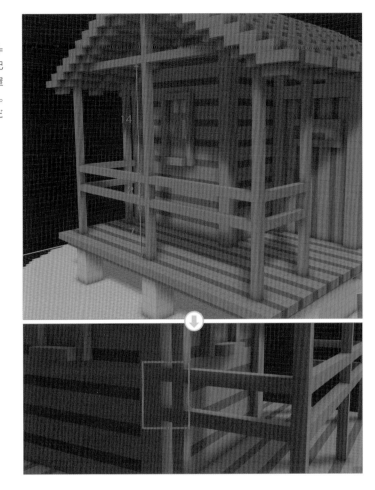

8 柵を作成する

手すりが完成したらその下に柵を制作します。上から2本目の手すりと床の間に縦にボクセルを配置します。柵の間隔は2ボクセルになるようにしてください。

9 階段を作成する

家の右側の床と草地の間に階段を作成します。柱の隣に横1ボクセル、縦1ボクセルの階段状にボクセルを配置します①。側桁の幅は4ボクセルです。側桁が完成したらその間に踏み板を作成します②。踏み板は「X：2 Y：13 Z：1」の直方体で、1ボクセルおきに配置します。

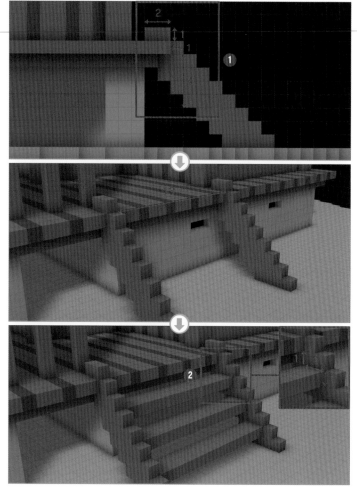

10 玄関灯を作成する

扉の上に玄関灯を作成します。「index：41」の色を選択して柱から5ボクセル離れたところに図のようにボクセルを配置します。次は配置した「X：3 Y：3 Z：1」の直方体の中心の部分に「index：42」の色でボクセルをひとつ配置します。

index:41
68 70 75

index:42
255 210 104

正面から見た玄関灯

横から見た玄関灯

11 玄関灯の光を表現する

レンダリング機能を使って玄関灯の光を表現します。左上の【Render】を選択してレンダリング画面に移動します。移動したら玄関灯の作成に使用した「index：42」の色を選択した状態で【Matter】パネルにある【MATERIAL】の【Emission】❶を選択します。【Emission】【Power】【Ldr】の項目❷を自由に設定すれば完成です。

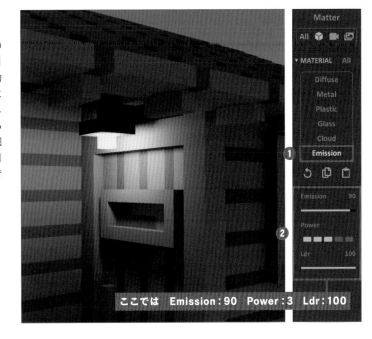

ここでは　Emission：90　Power：3　Ldr：100

12 煙突を作成する

家の後ろの壁に煙突を作成します。まず壁の「X：4 Y：1 Z：4」の範囲を「index：41」の色で塗ります。色が塗れたら、色を塗った部分の中心から図のような2×2の太さの煙突を作成し、「index：25」の色で模様を塗ります。最後に図のような煙突の先端部分を作成すれば完成です。

index：41
68 70 75

index：25
150 150 150

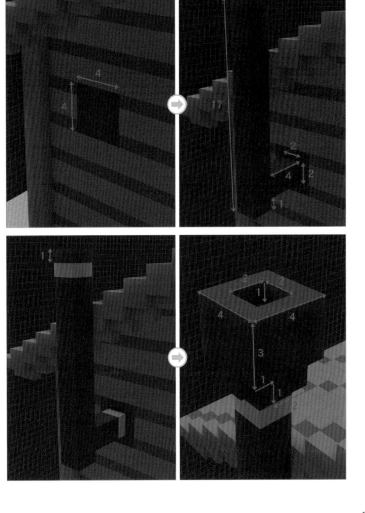

上級編

PART1

ランダムコマンドを使った細かい配色と煙の質感を表現する

汚れや質感を表現しよう

色を塗ることで家の汚れや木の質感などを再現していきます。細かな作業ですが、この作業を行なうことでぐっと完成度が上がります。

1 家の汚れを表現する

家に色を塗って汚れや質感を表現します。まず壁に「index：11」の色を塗ります。塗り方は自由ですがあまり面積が大きくなりすぎないように注意してください。次に色を塗ったところの周りに「index：10」の色を塗ります。濃い色の周りに薄い色が広がっているように塗るのがコツです。屋根や柱など他の部分にも同じ方法で色を塗ります。

index:11

| | 100 | 93 | 83 | ⇄ |

index:10

| | 110 | 102 | 91 | ⇄ |

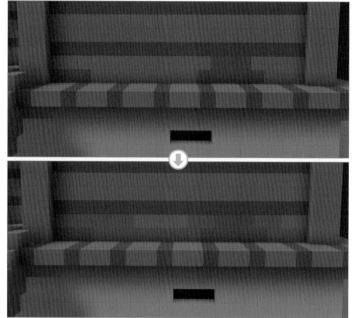

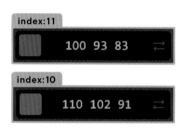

2 家の模様の汚れを表現する

家の模様（STEP03-6でラインを引いた部分）に色を塗って汚れを表現します。「index：18」と「index：19」の色を使って、STEP05-1と同じ方法で家の模様に色を塗っていきます。屋根や床板の模様にも同じように色を塗ってください。この工程は大変な作業ですが、作品の完成度が一気に上がります。

index:18

| | 90 | 82 | 72 | ⇄ |

index:19

| | 85 | 78 | 72 | ⇄ |

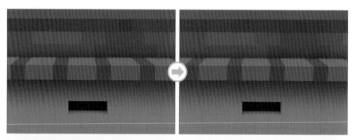

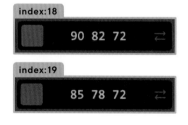

3 家の土台の汚れを表現する

家の土台にも色を塗って汚れを表現します。「index：26」と「index：27」の色を使ってSTEP05-1と同じ要領で家の土台に色を塗っていきます。「index：26」の色を塗る範囲を少し広めにすると見栄えが良くなります。

index:26

140 140 140 ⇄

index:27

130 130 130 ⇄

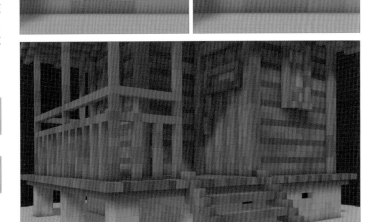

4 ランダムコマンドを使って草地の質感を表現する

MagicaVoxelでは【console】にコマンドを打ち込むことで様々なコマンドを使用することができます。その中でも、今回はランダムコマンドというものを使用して草地の質感を表現します。実際にやってみましょう。まず【Brush】パネルにある矢印のマークを選択❶し、【Region】ツールの【V】を【A】に変更❷します。その状態で草地をクリックすると草地全体を選択することができます。選択できたら【console】に【rand 1 5】と入力❸し「Enter」キーを押します。すると草地がパレット1〜5の色でランダムに着色されました。このようにランダムコマンドは【rand ○ □】のようにパレットの番号を入力して使用することができ、使用すると選択範囲内を○〜□番の色でランダムに塗ることができます。

randと数字の間に半角スペースが入るので注意

rand 1 5

この色の範囲でランダムに塗られる

宅地に生える草や煙突から出る煙を作成していきます。煙の作成では風向きなども意識してみましょう。

1　家の周りに草を作成する

宅地に生える草を作成して家の周りを装飾します。「index：1〜5」の色を使って図のような高さ1〜3ボクセルの草を作成します。家の周りに重点的に配置してください。草同士が隣り合わないように互い違いに配置するのがコツです。

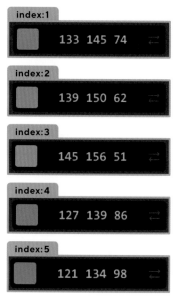

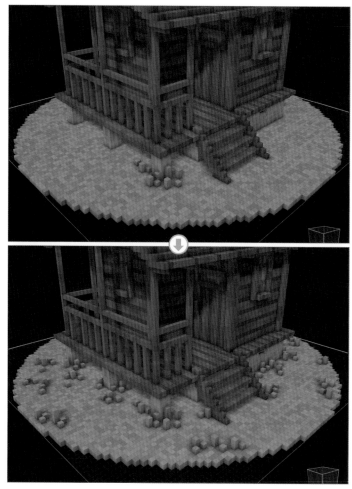

2　煙突から出る煙を作成する

次は煙突から出る煙を作成します。「index：43」の色を選択して煙の形をモデリングします。【V】ボックスブラシなどを使用して大まかな形を作ってから形を調整するとモデリングしやすいです。

3 煙の質感を表現する

レンダリング機能を使って煙の質感を表現します。STEP 04-11と同じようにレンダリング画面に移動します。移動したら煙の作成に使用した「index : 43」の色を選択した状態で【Matter】パネルにある【MATERIAL】の【Cloud】❶を選択します。この機能は雲の質感を表現するものですが今回は煙の表現に使用します。【Cloud】と【Mix】の数値❷を自由に設定すれば完成です。

ここでは Cloud : 100 Mix : 70

STEP 07 木をモデリングしよう

ランダムコマンドを使用して白樺の木を作っていきます。木の写真などを参考にしながら作成してみましょう。

1 モデルを追加する

【Model】の画面に戻ったら「Tab」キーを押して【World】エディタに切り替えます。切り替えたら画面中央上部の【＋】を押して❶モデルを追加します。赤色と青色の矢印をドラッグしてモデルを作業しやすい位置に移動します。移動できたら追加したモデルを選択した状態で再び「Tab」キーを押して画面を切り替え、モデルのサイズを「35 35 125」❷に変更します。

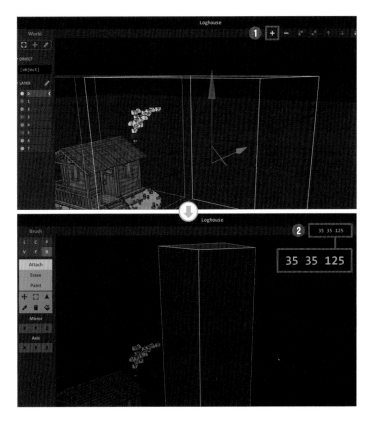

35 35 125

2 草地を作成する

木の下にある草地を作成します。
【V】ボクセルブラシを選択❶して
【Voxel】ツールの【Cube】を【Sphere】
に、【3D】を【2D】に変更❷します。
変更できたら【Sphere】の下の数字
を「27」に変更して「index：1」の
色でモデルの中心に直径27ボクセル
の円を配置します。

index:1

133 145 74

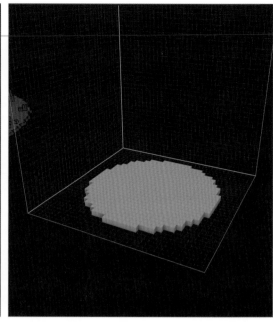

3 木の幹を作成する

草地の上に木の幹を作成します。作
成した草地の中心から「X：3 Y：3」
の直方体を「index：49」の色で少し
ずつずらしながら積み上げます。
「Z：80〜90」になるまで積み上げ
てください。幹の大まかな形ができ
たら幹を上に延長します。先が細く
なるように作るのがコツです。根元
を太くしたり、立方体のつなぎ目を
自然な形に調整したら完成です。

index:49

200 200 200

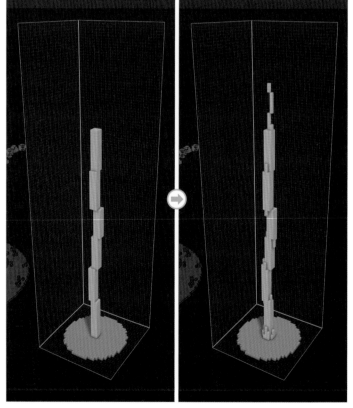

4 木の形を作成する

作成した幹にボクセルを配置して木の大まかな形を作成します。「index: 53」の色を選択します。【V】ボクセルブラシなどを使用して幹の周りにボクセルを配置していきます。写真などの資料を参考にするとやりやすいです。

index:53

130 125 123

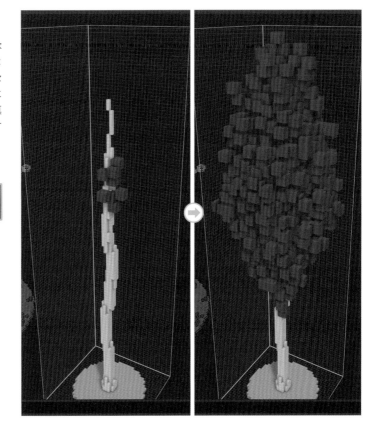

5 木の葉を表現する①

STEP05-4で使用したランダムコマンドを使用して木の葉を表現します。STEP05-4と同様に【Region】ツールを使って先ほど作成した葉の部分を選択します。選択ができたら【console】に【rand 1 11】と入力し「Enter」キーを押します。

rand 1 11

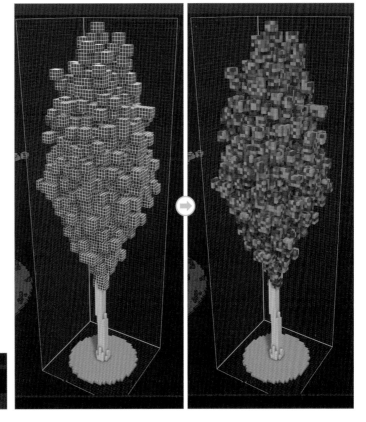

6 木の葉を表現する②

続いて【Region】ツールを選択して「Shift」キーを押しながら幹と下の草地をクリックします。すると草地の色「index：1」と幹の色「index：49」を使用したボクセルのみが選択された状態になります。選択ができたら【Edit】パネルにある【Select】ツールの【Inv】をクリックします。【Inv】は選択範囲を反転させる機能なので先ほど選択した範囲以外のボクセルが選択された状態になっているはずです。選択範囲の反転が確認できたら「Delete」キーを押して選択範囲内のボクセルを削除すれば木の葉の完成です。

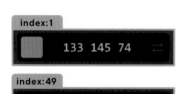

index:1
133 145 74

index:49
200 200 200

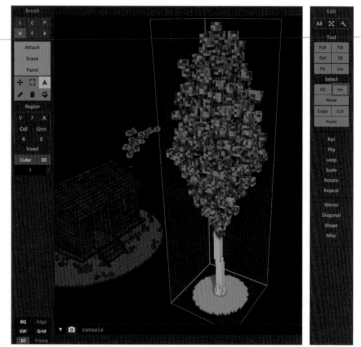

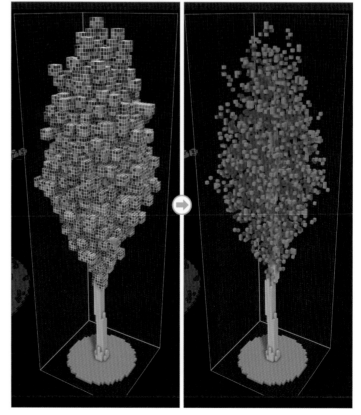

7 木の葉と草地の質感を表現する

ランダムコマンドを使用して木の葉と草地の質感を表現します。STEP 05-4と同じ方法で葉と草地の部分を選択します。選択できたら【console】に【rand 1 5】と入力しコマンドを実行します。

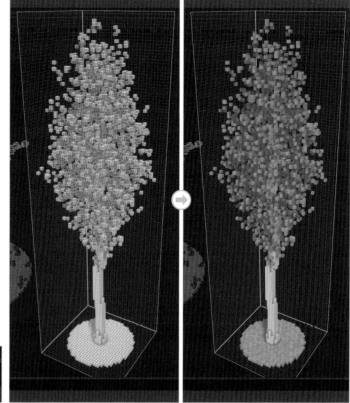

8 幹の模様を表現する

幹に色を塗って模様を再現します。まず幹を選択して【rand 49 51】と入力しランダムコマンドで幹に色を塗ります。幹に色が塗れたら「index：52」と「index：53」の色で幹に模様を塗っていきます。今回は白樺の木をイメージしているので【L】ラインブラシを使って横に線を引くように塗るとやりやすいです。

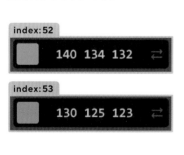

index：52
140 134 132

index：53
130 125 123

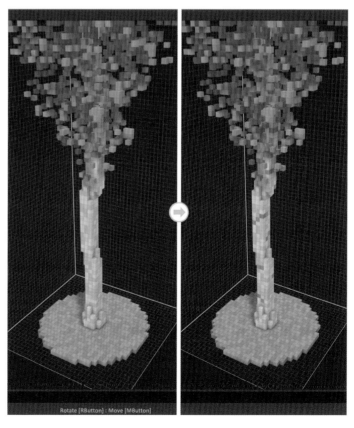

Rotate [RButton] : Move [MButton]

9 木の周りに草を作成する

木の周りに草を作成します。STEP 06-1で家の周りに草を作成したときと同じように作成してください。

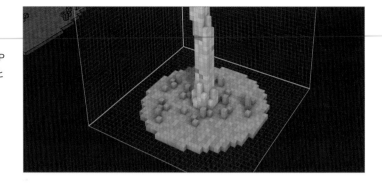

10 木を増やす

STEP07-1～8のと同じ方法で木を3～4パターン作ります。幹の太さを「X：2 Y：2」にしたり、木の高さを変えると違いを出しやすいです。何パターンか木ができたらコピー機能を使って木の本数を増やしておきます。

STEP 08　家と木をレンダリングしよう

すべてのモデルが完成したら、最後に完成したモデルを配置してレンダリングを行ないます。レンダリングには様々な設定があるので、色々と試しながらやってみましょう。

1 家と木を並べる

全体のバランスを見ながら木と家の配置を決めます。キーボードの「7」キーを押すと視点を保存でき、「8」キーで読み込みができるので便利です。

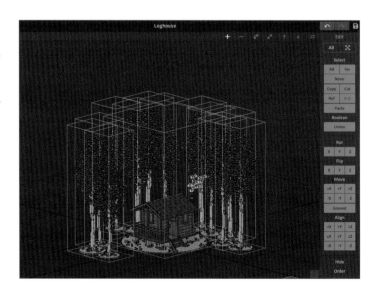

2 レンダリングをする

最後にレンダリンク画面に移動します。自分の好みの設定に変更して、レンダリングをすれば完成です。

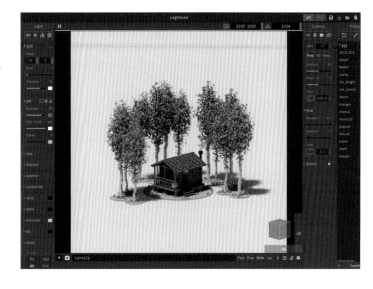

完成

汚れや劣化のディテールアップ表現で
レトロ風な雰囲気を演出する

経年劣化したようなディテールをボクセルに加えてレトロ風な雰囲気のある建物を作ります。こうしたモデルを複数作って並べると味わいのある街の風景が作れます。

解説	uevoxel
Twitter	@UeVoxel
Instagram	@uevoxel

今回の作品について
あらためて自分の作風と向き合う機会をいただいた事で、無意識に作っていた工程のひとつひとつを言語化し図解化する事ができました。この解説が「今から始めたい！」と思った方の助けにほんの少しでもなれたら嬉しいです。

ボクセルアートの魅力とは
立方体を組み合わせて作るシンプルなアート作品なので、作りたい物の情報量をどのくらいボクセルに落とし込むかは様々ですが、どの作品も大体カドばっていて滑らかではありません。ただ、情報量が少ないからこそ作家は表現の工夫を楽しみ、見る人は目に映る以上の事を想像できる楽しみがあるように感じています。

STEP 01　ボクセルの質感をアップしてみよう

今回はレトロな酒屋さんをボクセルで作ってみます。壁の汚れやサビついた金属などのディテールアップ方法をメインに解説します。ディテールアップの方法と懐かしさを引き出せるようにドット絵の要素も少しだけ取り入れたいと思います。そのためボクセルとしては高い解像度で作成していきたいと思います。それでは今回使っていくドット絵の技法をご紹介します。

1　アンチエイリアス

まずはじめに、2色で「たばこ」の看板を作ってみました。こちらのドットの角が目立ってガタガタに見えてしまう部分に中間色を置いてなめらかにする技法をアンチエイリアスと言い、中間色の数が多いほど滑らかなグラフィックになります。どのくらい入れるかは作風にもよりますが、今回はしっかり作り込みたいポイント以外の中間色は1、2色を目安にして制御しやすくしてみます。

2 メッシュ（かけ網）

ふたつの色のドットを交互に配置することで擬似的に色数を増やす技法です。今回のボクセルでの使い所はどこかというと、2Dドット感を出して、レトロ調にしたい部分に取り入れていこうと思います。

STEP 02　建物のベースを作ろう

今回はMagicaVoxelの1オブジェクトの上限サイズ「126×126×126」よりも大きくしたいので、オブジェクトを組み合わせて、長辺が200くらいになるように作っていきます。

1 レイアウトを作る

建物を作るはじめの手順の一例としてご紹介したいのが、「ラフでレイアウトを組む」という工程です。まず最初にドアや屋根、壁などのすべてのパーツを箱に見立ててレイアウトを組んでおきます。そうすると、全体のバランスが取りやすくなり、作っていくうちにスケール感にばらつきが出てしまう心配がないので、最初はこちらの工程を挟む事をおすすめします。またパーツ分けしたまま仕上げていくため、完成したものはアセットとして流用できるので、おなじスケールで建物を量産する時にオブジェクトだけでなくパレットの流用もしやすくなります。

ここで作成したレイアウトデータはダウンロードデータとして参照することもできるので、確認してみてください。

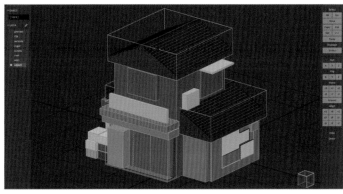

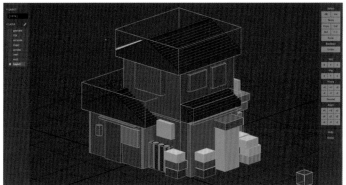

窓のパーツは室内のカーテンも一緒に作りたいので、壁にめり込ませてレイアウトを組んでおきます❶。

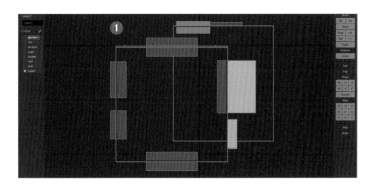

2 あえてボクセルの角を立たせる

解像度が高くなる事でとても滑らかな見た目になる反面、ボクセルの良さも薄れてしまう場合があるので、そうならない為にSTEP01-1でご紹介したアンチエイリアスの逆のイメージであえて角を大きめに残していこうと思います。今回はその「あえて」を屋根に作っていきます。上が滑らかな傾斜の屋根で、下が角をたたせた屋根です。

滑らかな傾斜の屋根

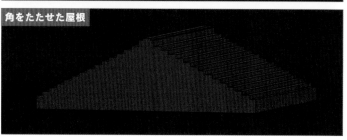

角をたたせた屋根

STEP 03 よく使う機能について

細かな制作に入っていく前に、私がボクセルを作る際に重宝しているちょっとした機能をご紹介します。

1 ズームアップ

オブジェクトにズームアップしたい時は、2階の壁のオブジェクトを選択しインタフェース右下の【Recenter Camera】またはキーボードの「4」を押す事で、選択しているオブジェクトに現在の視点に近い角度でズームアップしてくれます。キーボードの「5」を押すとパースがかからずズームアップします。

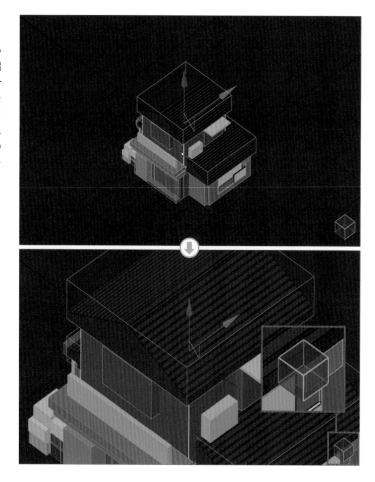

2 BGを非表示に したい時は

BG（選択していないオブジェクト）を非表示にしたい時はオブジェクトを選択後に【Model】エディタに切り替え「Ctrl」（mac:「command」キー）＋「B」キーか【BG】を押すと、一時的にBGを隠してくれます。物が増えていくと制御が難しくなるのでこの機能を覚えておくと便利かもしれません。表示したい時はもう一度押してください。

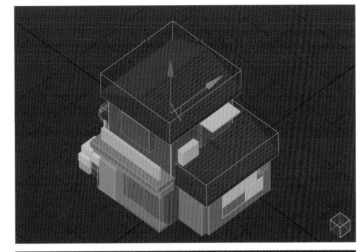

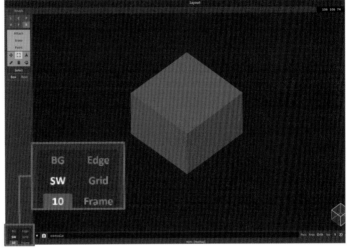

3 エッジを表示

屋根の瓦や窓枠など細かなディテールを作るときに、ボクセルの境界線が見やすいと作業がしやすいので、基本的にエッジは表示して作業します。「Ctrl」（mac:「command」キー）＋「E」キーで表示・非表示が選択できます。

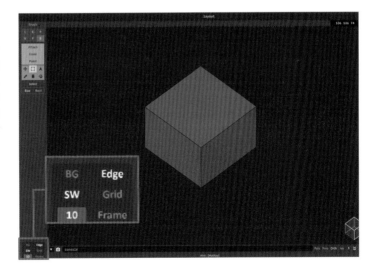

大まかなシルエットを作った状態からデザインやディテールに移っていきます。

1 屋根のベースを作る

ベースのボクセルに【Brush】パネルから【B】の【Paint】で屋根を描いていきます。このような絵にしてみました。まだ表面しか色がついていないので、Y軸全体に色を付けていきます。【Brush】パネルを図❶のような設定に変更して、「Alt」キー（mac：「option」キー）＋右クリックで色をスポイトしつつ再度同じ色で塗っていくとY軸すべてに配色されていきます❷。最後に壁の余計な部分を削除します。

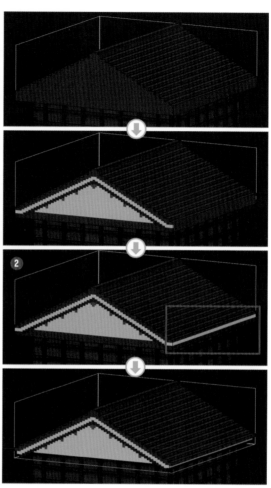

2 瓦を作る

瓦のディテールも付けていきます。瓦の盛り上がっている部分を作るために、【Box Select】の【Rect Select】で図❶のように選択し、コピー＆ペーストで複製したものを上にずらし、高さを出していきます。これを屋根のグレーの部分すべてに作っていくと瓦のベースが完成です。

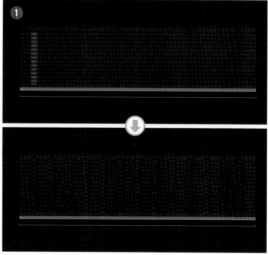

3 質感をアップさせる

次に瓦の経年劣化を色で再現してい
きます。【Region Select】の【F】で❶
のように選択し、ランダムコマンド
の【rand】（ここでは「rand 47 48」）
でグレーの濃淡2色でランダム配色
します❷。反対側も同じように配色
します。瓦が少し不ぞろいな印象も
出したいので、少し明るいグレーで
スポット的に色をつけてみました。
最後に屋根の高い部分にハイライト
のイメージで少し明るいグレーを塗
りました。

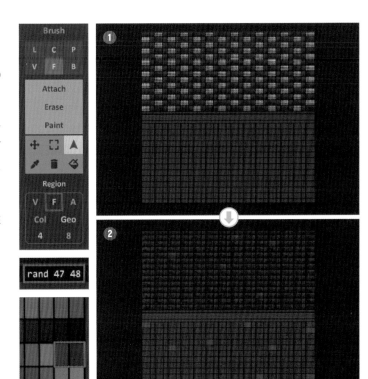

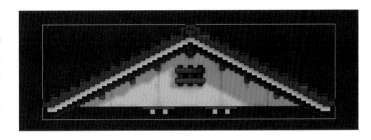

4 屋根の壁を
ディテールアップさせる

屋根の壁にもこのようなディテール
をつけてみました。STEP01-2で紹
介したメッシュも取り入れてドット
絵のテイストも入れつつ壁の汚れや
影などを表現してみました。

屋根の下面に光源を設置します。
【Render】画面に切り替え、【Matter】
パネルからの【Emission】のマテリ
アルはこちらの設定にしてみまし
た❶。光を仕込んでおくと昼間の風
景だけでなく夜景も作る事ができる
ので、ライティングやレンダリング
設定次第で様々な景観を作ることが
できます。

STEP02-2で「あえて」屋根のボク
セルの角を立たせるように作ってみ
ましたが、こちらは完全に好みの範
疇である事と、表現に正解不正解は
ありません。もっと角を立たせても
良いかもしれませんし、滑らかでも
いいかもしれません。どのくらいの
デフォルメ具合が一番自分の中で
しっくりくるか探る作業も楽しんで
作ってみてください。上が「あえて」
角を立たせた屋根で、下が滑らかな
屋根です。

「あえて」角を立たせた屋根

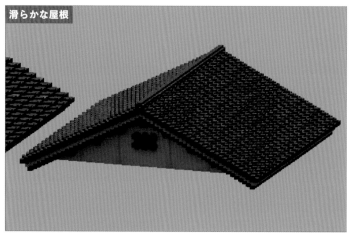

滑らかな屋根

STEP 05　壁面を作ろう

ここでは壁面を作ります。木、トタン、石の3種類の質感をボクセルで作ってみます。それぞれが異なっ
た素材でできあがっているので、劣化させるディテールも実際のものを観察したりするとより生活感のあ
るものになります。

1　壁の素材を作る

さて、それでは2階の壁から作って
いきます。STEP02で作ったレイア
ウトの2階の壁のオブジェクトを選
択し【Model】エディタに切り替えま
す。一旦【Del】でオブジェクト内の
ボクセルを消し、片面のみ壁が存在し
ている状態にします。今回は茶色の
木の材質をメインにしてみたいと思
います。【Brush】パネルから【Mirror】
の【X】をオンにし、左右対称モード
にして壁を作ります。

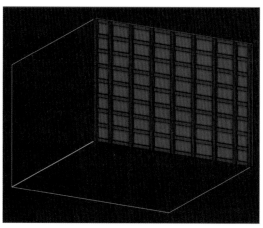

2 壁の質感を
アップさせる

広い面を薄茶、縦の木を濃い茶、横の木をその中間色にしました。3つの茶色での濃淡のグラデーションをつくり、横に流れる木目を作ります。少し色あせている箇所をつくると経年劣化を表現できるかと思います。ここはよく見える部分なので色数を多めにしてみました。また2Dドット絵の雰囲気も出したいので、横の木の下にカゲも疑似的に描いてみました。これをランダムに並べると壁の素材の完成です。

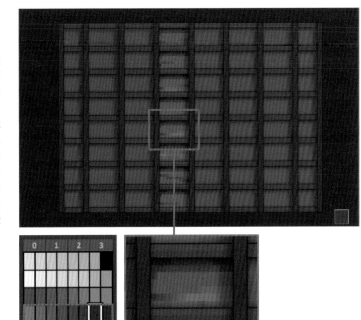

3 部屋にする

STEP05-2の壁素材を4面すべてに反映しました。縦のこげ茶色の木材も少しだけ密度を上げたいので【Brush】パネルから【Region Select】の【A】で選択し、こげ茶色の濃淡2色を【rand】でランダム配色しました。今回は室内も少し見えるようにしたいので、建物の内部は空間が開いたままにしておきます。内側は壁紙のイメージでベージュにしました。この部屋素材ができたら複製し、1階の壁も作ると木の壁は完成です。

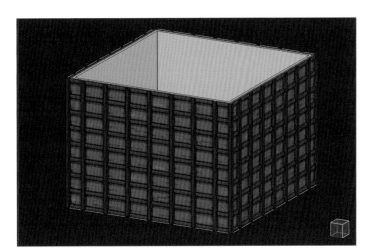

4 トタンを作る

建物すべてが木の壁よりも材質がちがう壁があるとよりおもしろいので、今回は建物の側面に波状のトタンも入れていきます。半分まで凹凸を付けた板をつくりベースは完成です。

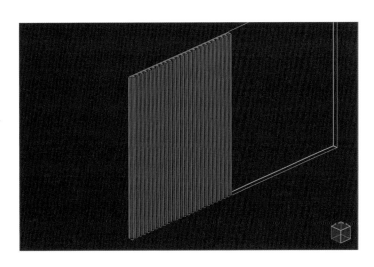

5 トタンの質感を アップさせる

それではサビを入れていきたいと思います。金属の固有色とサビの茶色で中間色をつくり、メッキがはがれて金属がチラっと見えているイメージのグレーをプラスした4色ほどを作成します。今回は青のトタンにしたので、青〜茶色とグレーを用意しました。【Box Select】でサビを入れたい箇所を選択します❶。サビをいれる部分は真ん中よりも端っこを多めに拾うとそれらしさが出るかと思います。【rand】で4色をランダム配色するとサビ入れができました❷。これでトタンは完成です。

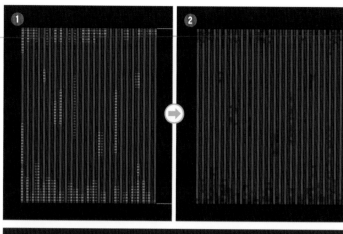

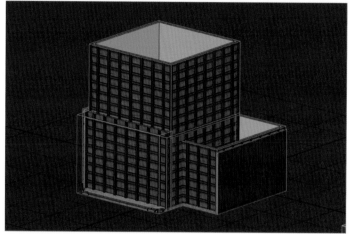

6 玄関の石段を作る

玄関は経年劣化で角がとれたような石段を作ります。形が完成したら【Region Select】の【A】で石の部分だけを選択し、色が近い2色のグレーを【rand】でランダムに配色すると石のベースが完成です。

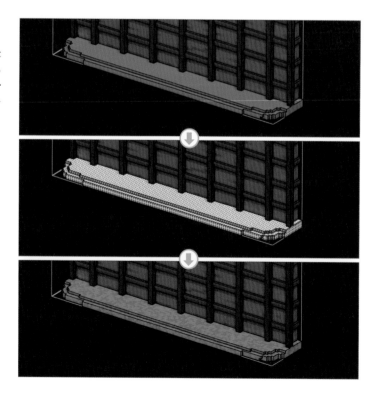

7 石段の質感を アップさせる

もう少し古さを出したいのでコケも加えます。コケの緑と石のグレーの間に中間色を1色作り、この2色を【rand】でランダム配色していきます。コケの入れ方は、人があまり影響をあたえない箇所をイメージして拾っていくと良いと思います。例えば、玄関付近は人通りも多いはずなので石段の全体にコケを生やすと廃れた印象がでてしまいます。端の方や地面と接する部分をメインにコケを入れます。【Region Select】の【F】で図のように選択してみました❶。作っておいた中間色を【rand】でランダム配色してみるといい感じにコケを作ることができました。これで石の質感アップは完了です。

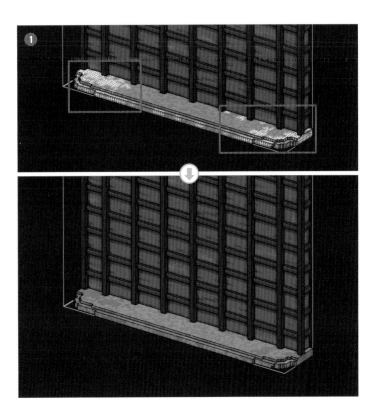

8 建物に基礎を作る

STEP05-6〜7と同じ要領で建物と地面の間に、建物を支えるためにある基礎を覗かせてみました。建物の構造を忠実に再現する必要はないのですが、普段私たちの視界に入りやすいパーツは積極的に作ってあげると建物としての説得力が増す気がして象徴的なパーツを作るようにしています。

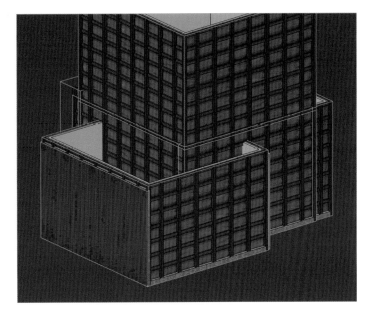

今は強度の面で撤去されつつあるブ
ロック塀もなつかしさを演出するひ
とつなので取り入れてみようと思い
ます。こちらもSTEP05-6〜7と同
じ要領でブロック塀の形をつくり石
やコケの色をつけ質感をアップした
ら完成です。

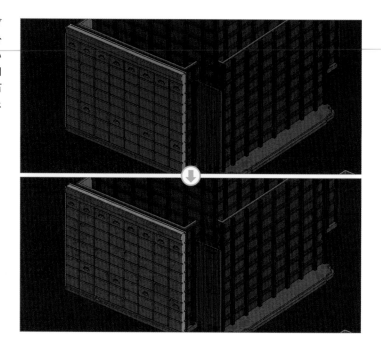

STEP 06　窓とカーテンを作ろう

窓のデザインは木造建築の雰囲気に合わせて木製にします。カーテンを作ると生活感がより演出できるの
でカーテンも窓とセットで作ります。

1　窓を作る

STEP02-1で窓は壁に半分めり込ま
せた状態から、外にでた半分で窓枠・
庇をつくり室内に残った半分でカー
テンを作ります。こうすると例えば
窓を別の位置につけたい時に、まる
ごと一式移動させられるため制御が
しやすいという理由でこの形で作っ
ています。STEP05-2の場合と同様
に木の質感や影を描いていきます。

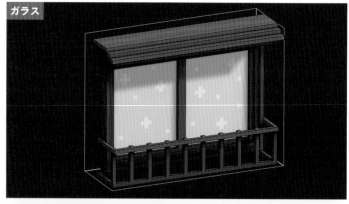

ガラス

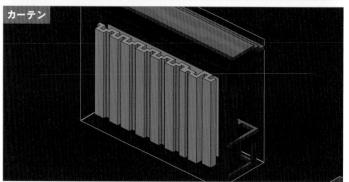

カーテン

ガラスにも古さを出したいので、ガ
ラスの色を2種類にして模様付きの
ずりガラスにしてみました。カーテ
ンもレースカーテンをイメージして、
透ける設定にします。マテリアル設
定は右のようになります。

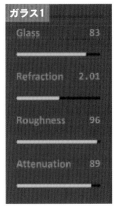

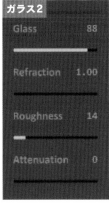

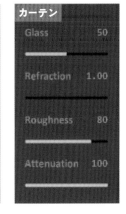

側面や背面の窓も作り込んでいきま
しょう。背面の窓は正面の複製した
データです。すべて同じ窓だと味気
ないのでベランダ付きの窓や少し小
さな窓も作ってみました。

室内が少し覗けたり、明かりが少し
漏れるような外観にしたいので窓に
重なる壁をとりのぞきました。これ
で窓は完成です。

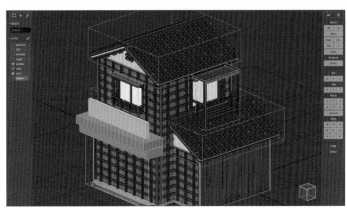

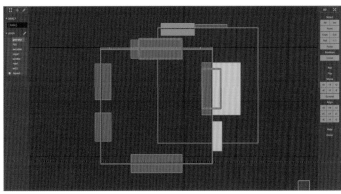

建物の玄関はお店の雰囲気がでるように装飾などを多めに、裏玄関は生活用なので落ち着いたイメージで作っていきます。

1　トタン屋根と軒先テント

トタン屋根は赤にしてすこし歪ませてみました。形が決まったらSTEP 05-5と同様にサビをつけていきます。軒先テントも同様に形をつくり、汚れを描き込んでみました。

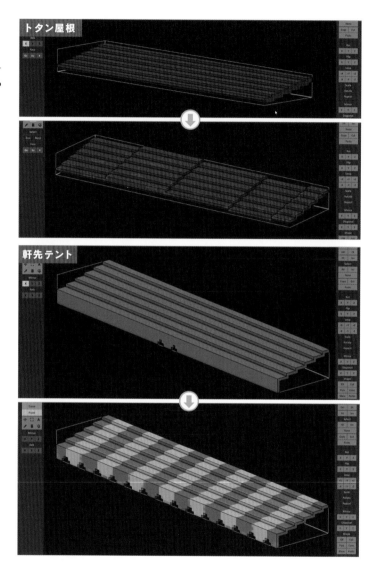

2　表玄関を作る

ガラスの木製の引き戸を作っていきます。STEP 05-2の時と同じ流れで作成してみました。生活感がでるようにガラス面にはお酒の広告のような絵を描いています。左の戸の前には自販機を置く予定なので、こちらは何も描いていませんが、もちろん何か描いてもOKです。

3 裏玄関を作る

表玄関が終わったら裏玄関も作成しましょう。ドア、庇、窓、ついでに郵便ポストも作りました。

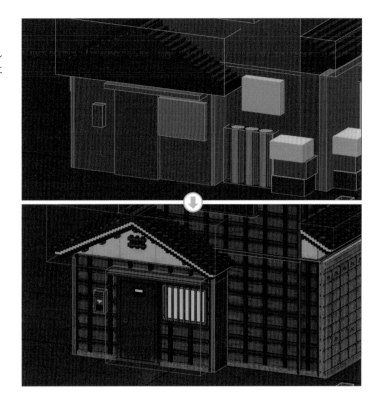

STEP 08　看板を作ろう

お店の顔となる看板を作っていきます。架空のお店「小坂商店」にしてみました。【Paint】でざっくり形をとってロゴのベースを作っていきます。

1 看板のロゴを作る

STEP01-1でご紹介したアンチエイリアスを入れていきます。今回の作風ですと、入れすぎるとボヤっとした印象になってしまうので中間色は1色だけにします。入れる場所は主に線を斜めに見せたい角に打っていきます。一度引いて見て、違和感がなく滑らかになっていたらロゴまわりは完成です。また、STEP05-5の工程と同じように、看板の縁の金属部分にもサビを入れてみました。

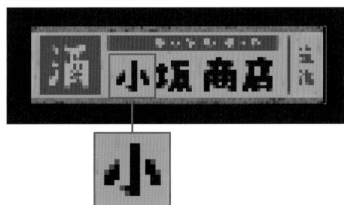

161

STEP08-1と同じ要領で側面の日本
酒とソフトドリンクのイメージで看
板を3枚書いてみました。

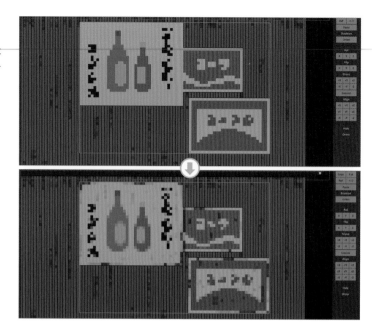

STEP 09 　タバコ屋さんを作ろう

今回のメインの建物は酒屋さんではありますが、懐かしさがもう少し出るようにお店の一角でひっそりと
営業しているタバコ屋さんも入れてみます。建物の右側のこのスペースに作っていきたいと思います。

1 お店を作る

ざっくり形をとった後にガラスにし
たい部分、光らせたい部分、金属に
したい部分を決めます。側面は家の
壁と重なるため見えないので、正面
のディテールを付けました。ショー
ケースの中にタバコを飾りたいので、
タバコも作成します。あまり見える
ものではないので複製し、色変えで
バリエーションを作ってみました❶。

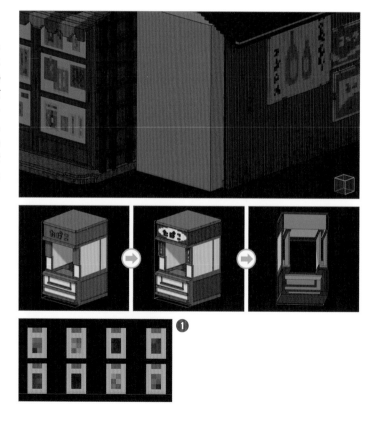

❶

ケース内が暗くなるとせっかく作ったタバコが見えなくなってしまうので【Render】画面の【Matter】パネルからマテリアル設定で【Emission】を仕込みました。マテリアル設定はSTEP04-4で屋根に仕込んだライトと同じです。最後にタバコ屋さんが入る部分の家の壁をくりぬいてタバコ屋さんの完成です。たばこのロゴ付近の赤い部分は少し透過させ、内部のライトの影響をうけるようにしてみました。

STEP 10　外の小物を作ろう

外のちょっとした小物もあると雰囲気がぐっと良くなります。これまで同様に形、色を作り、ディテールをアップする流れで作成していきます。

1　排気口を作る

形を作り金属のディテールをつけていきます。排気口の下はよく汚れが付いているのでトタンの壁の下にそれらしいサビなどを追加しておきました。

2　お酒のカゴを作る

酒屋さんなのでビール瓶など瓶系のお酒を持ち運ぶためのカゴを玄関と裏玄関の横に置いてみました。同じ色だけでなく色を変えてバリエーションを出します。

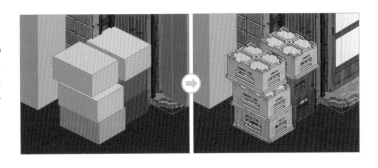

3 裏玄関の
　　　LPガスを作る

日常風景で日があまり当たらないところにLPガスが置かれているイメージなので、裏玄関の物陰に隠れそうな部分においてみました。

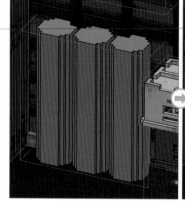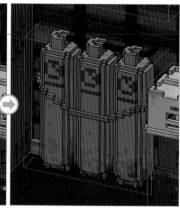

4 たばこの自販機

古いタバコの自販機をイメージして、形をつくり配色とディテールをつけてみました。玄関先の石段に置かれているので、自販機の下に木材を敷いてグラつかないようにします。

5 飲料水の自販機

こちらも光らせたい場所や透明にしたい場所を考えつつ、各パーツを作ってみました。外にある自販機なので雨の日でも人が立ち止まって買いやすいようにちょっとした傘もつけます。建物を作るときのポイントでもないのですが、私は上記のように、この建物がある街の住人がどうやって暮らしているのかと想像しながら作っていることが多いです。すると、ここにはこういう汚れがあったほうが自然かもしれない等のイメージがわいてくるので、ディテールアップをする際は想像を巡らせて作ってみてください。

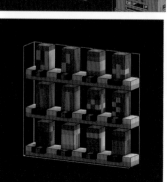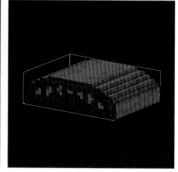

一旦現状でレンダリングをしてみます。自販機左のスペースがスカっと空いていてまわりよりも綺麗な印象なので、ブロック塀にツタを追加で這わせてディテールアップをしてみたいと思います。

6 ツタを作る

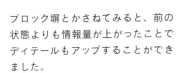

厚みを2に設定したオブジェクトの枠を用意します。高さや横幅のサイズはツタを這わせたい対象物のサイズに合わせていただければと思います。【Brush】パネルから【V】の【Attach】にして、ブロック塀にツタが這っているイメージをざっくりと作っていきます。

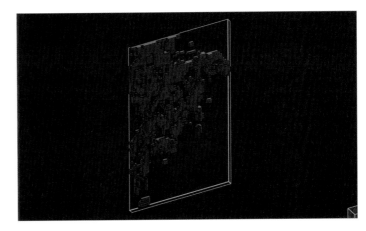

形ができたら緑の同系色2色で【rand】を実行します。【Region Select】の【A】でどちらかの色を選択し、それを削除します。すると少し細かなボクセルができました。これをもう一度くらいかけるとすっきりとした印象になります。最後にツタが伸びているイメージでツタを伸ばしてあげるとツタの完成です。

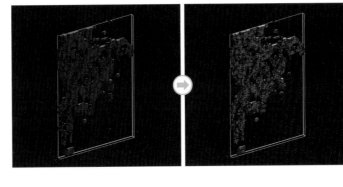

ブロック塀とかさねてみると、前の状態よりも情報量が上がったことでディテールもアップすることができました。

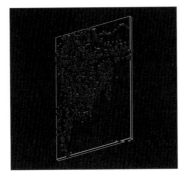

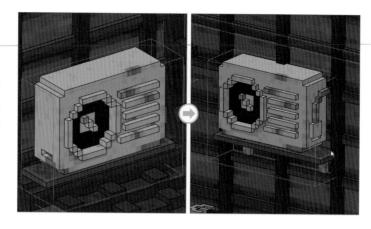

7 室外機を作る

今までと同様に形を作り質感をつけてみました。少し目立たせたいので、2階の屋根の良く見える位置と裏玄関の壁にかけてみました。室外機のいいところは隠さず見える場所に置いてあげるだけで、建物全体の雰囲気とかわいらしさがグッと上がるので日本の建物を作る上ではマストアイテムかもしれません。

8 配線や雨樋を作る

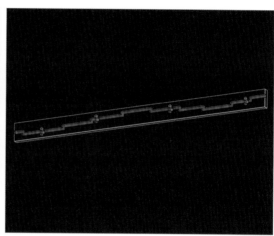

室外機ほど目立つ存在ではないのですが、こちらも建物としての雰囲気、そしてリアリティを出すことができるのでミニチュア感を出したい場合はあったほうがよいパーツです。つけすぎても良くないので、さりげなくチラっと見えるくらいに置いてあげてください。

STEP11　レンダリング設定をしてみよう

ボクセルモデルの見せ方を決める大事な仕上げ作業です。ミニチュア感を強めたり朝晩などの時間帯や天気を変えることで様々な情景を演出できます。

1 カメラを設定してみる

【Render】画面、【Matter】パネルから【Show Camera Settings】の【Aperture】で被写体深度の調整ができます。数値を大きくすればするほど焦点が合う範囲が狭くなります。右の画像は分かりやすく大きな数値を入れてみました。看板付近をクリックするとそこにピントが合い、ピントから離れるほどボケが強くなっているのがわかります。

2 ライトを設定してみる

今回作ったような建物の【Light】パネル設定のポイントは、昼間であれば太陽は白や黄色で影は青系の色味になり、夕方は太陽をオレンジにして影は紫になる事を意識すると建物の雰囲気がグッと良くなります。レトロ感をもっと出したい場合はもう少し黄色やオレンジを強くしてあげるなど、テーマにそったカラーを設定してもOKです。【SUN】の【Angle】の左の数値が小さいほど暗くなり大きいほど明るくなります。この数値で明るさを調整します。一番しっくりくるレンダリング設定になるよう調整しつつ画像を描き出してみましょう。

完成

MagicaVoxelでつくる3Dドットモデリング

ボクセルアート上達コレクション

● 定価はカバーに表示してあります

2020年4月10日　初版発行

編著	日貿出版社
発行者	川内長成
発行所	株式会社 日貿出版社
	東京都文京区本郷5-2-2　〒113-0033
電話	（03）5805-3303（代表）
FAX	（03）5805-3307
振替	00180-3-18495
印刷	株式会社 シナノ パブリッシングプレス
デザイン	waonica　nebula

©2020 by Nichibo-shuppansha / Printed in Japan
落丁・乱丁本はお取り替え致します

ISBN978-4-8170-2144-1　　http://www.nichibou.co.jp/